2.– My
W 98

Jürgen Sielemann

Aber seid alle beruhigt

D0766219

© Landeszentrale für politische Bildung, Hamburg 2005.
Gesamtherstellung: Marc Dienewald
Redaktion: Dr. Rita Bake
Lektorat: Kerstin Klingel
Druck: Reset, Hamburg
ISBN 3-929728-82-6
Alle Rechte vorbehalten, insbesondere die der Übersetzung, der Sendung in Rundfunk und Fernsehen und der Bereitstellung im Internet.

Jürgen Sielemann

Aber seid alle beruhigt

Briefe von Regina van Son an ihre Familie 1941-1942

Landeszentrale für politische Bildung Hamburg

Inhalt

Miriam Gillis-Carlebach

Einleitende Gedanken

Das vorliegende Buch ist in zwei Teile geteilt: Der erste Teil befasst sich mit dem beinahe lakonisch-ironischen Ausdruck „Der Schlussakt" und bezieht sich auf eine vorberechnete, bis ins kleinste Detail „ausgetüftelte" Aktion: Es handelt sich darum, die Vernichtung der Juden auf bürokratisch errechnete Weise auf schnellstem und grausamsten Wege eben „zu erledigen". Und wie dieses „Projekt", selbst in einer kulturellen, weltoffenen, groß angelegten Handels- und Hafenstadt, in der Zeit des Nationalsozialismus geschehen konnte und geschah.
Aus Jürgen Sielemanns Beschreibungen, so objektiv und nüchtern, so minuziös und wissenschaftlich quellenreich belegt, klingt das Entsetzen, das Unverzeihliche und nicht rückgängig zu Machende stärker heraus als aus vielen anderen detaillierten Beschreibungen der Akte der Grausamkeit.

Diese ganz besondere Art der objektiven Geschichtsschreibung findet auf anderer Ebene ein persönliches Einzelecho in den Briefen von Frau Regina van Son. Sie beschreibt ihren geschichtlichen Alltag, denn *am Vorabend großer Ereignisse*

im Falle ihres Sterbens möchte sie von uns Abschied nehmen.[1]
Sie beschreibt den kleinen grauen Alltag einer einerseits jüdisch-frommen, gebildeten, musikalischen Frau und andererseits einer ständig exil- und todesbedrohten, von der Familie vereinsamten Mutter, die mit ihrer Gemeinde, *wie eine kleine Maus in der Falle, sich vergebens nach einem Ausweg umsieht.* Dabei klammert sie sich, trotz der Miseren, an die kleinen Freuden des Alltags. *Ich bin wirklich guten Mutes, ich tue nicht nur so, das versichere ich Euch;* und an anderer Stelle, *als ob dieser Sturm im Wasserglas unsretwegen Euch in Sorgen versetzen könnte ...;* und schließlich, *Dabei darf ich mich sicher nicht beklagen.*
Jedoch aus ihren Beschreibungen in ihren exakt, oft ernüchternd gehaltenen Briefen klingen auch die verschleiert gehaltenen, großen Schikanen des gesetzlich verordneten anti-jüdischen Alltags und das Entsetzen über das Unveränderbare bedrohlich heraus, denn „*es ist doch ein bisschen viel, was auf einen einstürzt, wenn man so ganz allein ist wie ich*"; jedoch der erschütterndste, beunruhigende Schrei, an die Familie und an die Außenwelt gerichtet, ertönt paradoxerweise aus ihren Worten „*Seid nur alle beruhigt ...*"
Die rührende Einfachheit und Dankbarkeit für die unerwarteten „Wohltätchen", *alle Leute sind sehr, sehr gut zu mir,*

1 Die in *Italics* gedruckten Sätze ohne Anführungsstriche sind Anlehnungen an Zitate aus den Briefen; direkte Zitate sind zwischen Anführungsstriche gesetzt.

wie ich es gar nicht verdiene; die versuchte Selbstkritik, „*ich bin so verfressen...*“, und die fromme Gottergebenheit, „*meine ‚Tachrichim‘, meine Totengewänder liegen bereit...*“ – so lässt uns Regina van Son den Alltag in Hamburg angesichts der Deportation, angesichts der Ungewissheit und angesichts des Todes miterleben und mit betrauern.

Die Briefe der Regina van Son enthüllen uns den Alltag der letzten Phase vor der Deportation einer der vielen tapferen jüdischen Frauen, für die sie zur sprechenden Schreiberin geworden ist.

Miriam Gillis-Carlebach

Januar 2004 im Joseph Carlebach Institut

Regina van Son

Jürgen Sielemann

Zur Erinnerung an Regina van Son

Einführung

Im Vollzug der „Endlösung“, des Programms zur Ermordung aller Juden im deutschen Machtbereich, verschleppte die Hamburger Gestapo zwischen Oktober 1941 und Februar 1945 über 5800 Männer, Frauen und Kinder nach Lodz, Minsk, Riga, Auschwitz und Theresienstadt. Zur Verschleierung ihres wahren Zwecks waren die Deportationstransporte als „Evakuierung“, „Abwanderung“ oder „Arbeitseinsatz“ getarnt. Die Mörder erreichten ihr Ziel in unfasslichem Umfang. Nur einige Hundert der aus Hamburg deportierten Menschen entgingen dem Tod.

Nach dem Willen der nationalsozialistischen Verfolger sollte nichts an die Opfer erinnern. Nicht als Menschen galten ihnen die ermordeten Juden, sondern als eine statistische Zahl, die für immer geheim bleiben sollte.

Eines der Mordopfer war die Hamburgerin Regina van Son. Ihre hier veröffentlichten Briefe aus den Jahren 1941 und 1942 konfrontieren uns mit der ausweglosen Lage einer alleinstehenden älteren Frau, deren Kinder im rettenden Ausland lebten. Glückliche Umstände ermöglichten es Regina van Son, mit ihnen in Briefkontakt zu bleiben. Ihr Sohn Manfred hat einen großen Teil dieser Briefe bewahren können und sie dankenswerterweise zur Veröffentlichung zur Verfügung gestellt. Sie zählen zu den ganz wenigen persönlichen Schriftzeugnissen aus der Zeit der Schoah, die von Opfern der Hamburger Deportationstransporte erhalten geblieben sind.

Um das Verständnis dieser Briefe zu erleichtern, möchte ich einige Bemerkungen voranstellen. Der Inhalt der Briefe besteht aus privaten Lebensäußerungen, die Regina van Son ihren Kindern und anderen Verwandten anvertraut hat. Nur in wenigen Passagen wird erkennbar, dass sie befürchtet oder gewusst hat, in einer tödlichen Falle gefangen zu sein. Überwiegend suggerieren ihre Briefe Gefasstheit; hin und wieder klingen sogar Optimismus und Humor an. Wie ist es zu erklären, dass sie ihre Einsamkeit, die unerträglichen Drangsalierungen und Diskriminierungen, die ständig gesteigerten Schikanen gegen die in Hamburg verbliebenen Juden in ihren Briefen nicht einfach hinausschrie? Dafür gab es zwingende Gründe. Wäre ein Brief, in dem sie sich über die Verfolgung der Juden beklagt hätte, der Zensur in die Hände gefallen, so hätte das entsetzliche Folgen gehabt. „Verbreitung von Gräuelpropaganda im Ausland, Heimtücke“

oder wie die Beschuldigungen der Gestapo sonst gelautet haben würden, hätten für Regina van Son das KZ und den Tod bedeutet. Unter den gegebenen Bedingungen war es erstaunlich und äußerst gefährlich, dass sie die Deportationen, wenn auch in mehr oder weniger kryptischer Form, überhaupt zu erwähnen wagte. Zum anderen war ihr daran gelegen, ihre Kinder nicht übermäßig zu beunruhigen, und mit Ausnahme des erschütternden Briefs vom 22.10.1941 gelang es ihr stets, die Fassung zu behalten.

Regina van Sons Briefe zeugen von der großen Liebe zu ihren Kindern, von tiefer Religiosität und anrührender Hilfsbereitschaft gegenüber Leidensgenossen. Vor uns steht das Bild einer standhaften Frau in der auf den Massenmord zusteuernden Schlussphase der Judenverfolgung in Hamburg.

In Regina van Sons Briefen fallen zahlreiche Namen; oft sind es nur Vornamen. Viele der von ihr genannten Menschen teilten ihr Schicksal und wurden ermordet. Ich habe mich bemüht, sie zu identifizieren und Andeutungen durch kurze Kommentare aufzuhellen. Daraus ergab sich eine ungewöhnlich große Anzahl von Anmerkungen, die mir indessen als Schlüssel zum besseren Verständnis der Briefe unverzichtbar erscheinen. Bei der Wiedergabe der Texte konnte auf redaktionelle Eingriffe weitgehend verzichtet werden. Kürzungen wurden in Regina van Sons Briefen nicht vorgenommen, die Orthographie und Interpunktion weitgehend belassen.

Redaktionelle Einfügungen stehen in eckigen Klammern.

Regina van Sons Sohn Manfred verdanke ich Aufzeichnungen und Erläuterungen, ohne die ich die Bearbeitung der Briefe unmöglich hätte durchführen können. Er ist 2003 in Jerusalem verstorben. Seiner Tochter Dorothea Shefer, Mevasseret Zion, bin ich für zusätzliche Informationen sehr dankbar. Frau Prof. Dr. Miriam Gillis-Carlebach, Ramat Gan, hat meine Bemühungen mit Rat und Tat unterstützt; ihr möchte ich meinen ganz besonderen Dank abstatten.

Wer war Regina van Son? Der Versuch, ihr Leben über 60 Jahre nach dem in Theresienstadt erlittenen Tod zu erforschen, wurde durch die Aufzeichnungen ihres Sohnes Manfred sehr begünstigt und durch Dokumente des Staatsarchivs Hamburg erleichtert. Dennoch schien es unerlässlich, den Rahmen weiter zu spannen und auch die zeitgeschichtliche Situation zu skizzieren, in der Regina van Sons Leben verlief. Dass dazu vor allem auf die Lage der jüdischen Minderheit in Hamburg eingegangen wird, liegt auf der Hand, denn Regina van Son war in dieser Religions- und Schicksalsgemeinschaft fest verwurzelt. Im Folgenden wird der Versuch unternommen, das Leben dieser aufrechten Frau wenigstens ansatzweise zu rekonstruieren. Darüber hinaus befasst sich die Abhandlung mit Tätern, die für den Massenmord an den Hamburger Juden die Hauptverantwortung trugen.

Die Eltern

Am 21. Juni 1880 betrat ein frohgestimmter Familienvater das Hamburger Standesamt Nr. 2, um die Geburt einer Tochter beurkunden zu lassen. Der Beamte öffnete einen dickleibigen Folianten, der in diesem Jahr bereits fast 2000 Geburtseinträge aufwies, und griff zur Feder:

> *Vor dem unterzeichneten Standesbeamten erschien heute, der Persönlichkeit nach durch Trauschein anerkannt, der Kaufmann Heimann Noa Oettinger, wohnhaft zu Hamburg, Hohe Bleichen Nr. 46, jüdischer Religion, und zeigte an, dass von der Emma, geborenen Jaffé, seiner Ehefrau, jüdischer Religion, wohnhaft bei ihm, zu Hamburg in seiner Wohnung am vierzehnten Juni des Jahres Tausendachthundertundachtzig, vormittags um zwölfeinhalb Uhr, ein Kind weiblichen Geschlechts geboren worden sei, welches den Vornamen Regina erhalten habe.*[1]

Regina, die Königin... Die Wahl des Namens lässt darauf schließen, wie stolz und glücklich ihre Eltern waren. Sie

---

1 Staatsarchiv Hamburg (im folgenden: StH), 232-1 Vormundschaftsbehörde, Abt. 2 Nr. 2208.

standen in einem Alter, in dem auf Nachwuchs kaum noch gehofft werden durfte; die Mutter zählte 43 und der Vater 57 Jahre. Das jüngste ihrer sechs Kinder war neun Jahre alt, als Regina geboren wurde. Man kann vermuten, dass sie als „Nesthäkchen“ die besondere Zuwendung ihrer Familie erfuhr und von den älteren Geschwistern vielerlei Anregungen erhielt. Welche Schule Regina besuchte, liegt im Dunkeln; gewiss ist nur, dass sie über eine breit gefächerte Bildung verfügte und besondere Freude an der Literatur fand. Am Beispiel ihres Bruders Moritz, der ein Medizinstudium absolvierte, wird erkennbar, dass die Eltern keine Kosten scheuten, wenn es um die Ausbildung ihrer Kinder ging.

Reginas Vater, der aus Rakwitz bei Posen stammende Kaufmann Heimann Noa Joseph Oettinger, hatte seine Heimat 1849 als junger Mann verlassen, um in Hamburg eine neue Existenz zu finden. Für diesen mutigen Schritt gab es triftige Gründe. Im Großherzogtum Posen, einer preußischen Provinz mit hohem jüdischem Bevölkerungsanteil, galten in jener Zeit diskriminierende Sonderregelungen für Juden. In der Hoffnung auf eine bessere Zukunft kehrten viele von ihnen der Heimat den Rücken und wanderten nach Westeuropa und Übersee aus.[2]
In Hamburg gelang es Heimann Noa Joseph Oettinger recht

2 Julius H. Schoeps: Neues Lexikon des Judentums. Gütersloh 2000, S. 668.

schnell, eine auskömmliche Beschäftigung zu finden. Wie das Firmenprotokoll des Handelsgerichts zeigt, wagte er den Schritt zur Selbstständigkeit bereits ein Jahr nach seiner Ankunft:

> *Heute, Mittwoch den 10. April 1850, erschien Sr. Heimann Noa Joseph Oettinger und erklärte, am heutigen Tage hierselbst ein Handlungsgeschäft in Firma H.N.J. Oettinger errichtet zu haben und alleiniger Inhaber dieser Firma zu sein.*

Die Geschäfte der Firma waren vorwiegend dem Import und Export von Rohtabak aus Russland und der Türkei gewidmet.[3] Dafür unternahm Heimann Noa Joseph Oettinger zahlreiche Reisen in ost- und südosteuropäische Länder; gelegentlich fuhr er auch in die Niederlande, nach Belgien, Frankreich und England.[4] Die Firma prosperierte. Nach fünfjährigem Aufenthalt in Hamburg war Heimann Noa Joseph Oettinger so gut vorangekommen, dass er daran denken konnte, das Bürgerrecht zu erwerben. Im April 1855 hatte er die notwendigen Dokumente zusammengetragen: die Erklärung von zwei Inhabern des Hamburger Bürgerrechts, dass er ihnen „in jeder Hinsicht als respektabel bekannt"

---

3 StH, 231-7 Amtsgericht Hamburg - Handels- und Genossenschaftsregister, B 1965-138.

4 StH, 332-8 Meldewesen, A 24, Reisepassprotokolle.

sei, eine Bescheinigung der Steuerdeputation und ein Attest des Bürgermilitärs, wonach er über eine Uniform und ein Gewehr samt Bajonettriemen und Patronentasche verfügte.[5] Nach dem „Regulativ in Betreff der Zulassung fremder Israeliten in Hamburg“ vom 25.1.1854[6] war Heimann Noa Oettinger als Jude zum Erwerb des Hamburger Bürgerrechts nur dann berechtigt, wenn ihn die Deutsch-Israelitische Gemeinde in Hamburg zuvor als Mitglied aufgenommen hatte. Den entsprechenden Nachweis brachte er ebenso bei wie eine Bestätigung aus dem Stadthaus, dass seinem Bürgerrechtserwerb aus polizeilicher Sicht kein Hindernis entgegenstünde. Zum Abschluss des Papierkriegs hatte Heimann Noa Oettinger einen längeren Fragebogen auszufüllen. Eine der wenig diskreten Fragen lautete, „ob er sich zu verheiraten willens“ sei, und er antwortete mit ja. Zum 20. April 1850 bestellte man ihn in das Rathaus, wo er in feierlicher Zeremonie den Hamburger Bürgereid leistete und den Bürgerbrief in Empfang nahm. Damit hatte er einen Einwohnerstatus erreicht, der in Hamburg nur einer Minderheit vergönnt war und für die geschäftliche und gesellschaftliche Reputation viel bedeutete.[7]

---

5 StH, 332-7 Staatsangehörigkeitsaufsicht, B I a 1855 Nr. 470.

6 M.M. Haarbleicher: Zwei Epochen aus der Geschichte der Deutsch-Israelitischen Gemeinde in Hamburg. Hamburg 1867, S. 380 ff.

7 Im Jahr der Geburt von Regina van Son besaßen unter den 454 000 Einwohnern Hamburgs lediglich 30 500 das Hamburger Bürgerrecht. Franklin Kopitzsch und Daniel Tilgner: Hamburg-Lexikon. Hamburg 1998, S. 93.

Die Frau seines Herzens hieß Clara Jaffé, war 20 Jahre alt und wohnte in seiner alten Heimat Posen. Unmittelbar nach dem Erwerb des Hamburger Bürgerrechts machte sich Heimann Noa Joseph Oettinger auf den Weg, wurde mit Clara Jaffé in Posen getraut und kehrte mit seiner jungen Frau nach Hamburg zurück. Rasch stellte sich Nachwuchs ein: Julie und Chaja Clara wurden geboren. Dann aber, am 19.2.1858, starb die junge Mutter. Es dauerte drei Jahre, bis Heimann Noa Joseph Oettinger eine neue Ehe einging. Er heiratete die 24jährige Emma Jaffé, eine Schwester seiner verstorbenen Ehefrau. Sieben Kinder entstammten der Ehe: Joseph (geb. 1863), Martin (geb. 1864), Ernst (geb. 1867), Ernestine (geb. 1868), Moritz (geb. 1870), Martha (geb. 1871) und – das „Nesthäkchen" Regina.

Regina war acht Jahre alt, als sie ihren Vater verlor. Der Arzt attestierte eine Nierenentzündung und einen Schlaganfall, an dessen Folgen Heimann Noa Joseph Oettinger am 21. März 1888 in seiner Wohnung starb.[8] Verloren damals minderjährige Kinder ihren Vater, wurde üblicherweise ein männlicher Vormund für sie bestellt. In diesem Fall entschied sich die Behörde für eine Ausnahme und folgte dem Wunsch der Witwe, sie selbst als Vormünderin einzusetzen.[9] Wer aber sollte in Zukunft die Firma des Verstorbenen leiten?

---

8 StH, 352-5 Gesundheitsbehörde – Todesbescheinigungen, 1888 Standesamt 2 Nr. 997.

9 StH, wie Anm. 1.

Das Geschäft war längst nicht mehr auf den Tabakhandel beschränkt, sondern auf den Export „von allen kaufmännischen Artikeln“ nach Russland, Nord- und Südamerika ausgeweitet worden; auch verfügte es über eine russische Zweigniederlassung.[10] Joseph und Martin, Heimann Noa Joseph Oettingers schon volljährige Söhne, übernahmen die Firma und führten sie erfolgreich weiter.

---

10 Hamburgs Handel und Verkehr. Exporthandbuch der Börsenhalle 1888/90, S. 312.

Ein Familienleben in der Kaiserzeit

Bis zum 27. Lebensjahr blieb Regina Oettinger bei der Mutter.[11] Dann fand sie den Mann ihres Lebens – den 31jährigen Tabakimporteur Hugo van Son. Der niederländische Familienname ging auf Hugos Großvater Marcus Philip van Son zurück, einen in Deventer geborenen und 1823 nach Hamburg übergesiedelten Kaufmann.[12] Reginas Bräutigam war alles andere als ein „steifer Hamburger“ ohne musische Interessen, sondern ein begabter Hobby-Pianist, der regelmäßig mit Freunden zur Hausmusik zusammenkam und gern vierhändig spielte. Besonders liebte er die Werke von Gustav Mahler, Anton Bruckner und Richard Wagner. Auch Regina hatte starke künstlerische Interessen. Sie widmete sich vor allem der Malerei und zierte die Wohnung mit eigenen Gemälden.[13] Ihre Hochzeit mit Hugo van Son fand am 31. August 1906 statt.

Die jungen Eheleute standen fest im jüdischen Glauben.

---

11 StH, 332-8 Meldewesen, A 30, Meldekarte Emma Oettinger.

12 Salomon van Son: The Van Son Family. The History of a Jewish Family from the Gelderland and Overijssel Provinces. Jerusalem 1991, S. 95.

13 Reginas Sohn Manfred versuchte noch 1996 per Zeitungsinserat, zwei von seiner Mutter um 1900 angefertigte Gemälde in Hamburg ausfindig zu machen – vergeblich.

Als Mitglieder des orthodoxen Synagogenverbands nahmen sie am religiösen, kulturellen und gesellschaftlichen Leben der Jüdischen Gemeinde starken Anteil. Im Monat nach ihrer Hochzeit fand eine freudig erwartete Feier statt: die Einweihung der Synagoge auf dem Bornplatz. Der mächtige, von einem goldschimmernden sechszackigen Stern gekrönte Kuppelbau zählte zu den größten und schönsten Synagogen Deutschlands und stand im Mittelpunkt des jüdischen Hauptwohngebiets, das sich seit den achtziger Jahren des 19. Jahrhunderts von der Neustadt in die Stadtteile Harvestehude und Rotherbaum mit dem Grindelviertel verlagert hatte. „Klein-Jerusalem" hieß das Grindelviertel im Volksmund. Von der Wohnung des jungen Ehepaars in der Hansastraße bis zur Synagoge auf dem Bornplatz war es nur ein kurzer Weg.[14]

Hugo van Sons Enthusiasmus für Richard Wagners Opern bestimmte das Ziel der Hochzeitsreise: die Festspiele in Bayreuth. Hugos Begeisterung für die Werke des Antisemiten Wagner erscheint heute unverständlich – „der Meister" zählte zu den wirkungsvollsten Wegbereitern des Rassenwahns. Damals sah niemand voraus, dass Wagners hasserfüllte

---

14 Das Gebäude war als Hauptsynagoge des „Synagogenverbandes" errichtet worden, dem Hugo und Regina van Son als Mitglieder angehörten. Außer dieser Gemeinschaft, der die weitaus meisten Juden in Hamburg angehörten, bestanden unter dem Dach der Deutsch-Israelitischen Gemeinde in Hamburg zwei weitere Kultusverbände: der liberale „Tempelverband" und die orthodox orientierte „Neue Dammtorsynagoge".

Anschauungen in späteren Jahren auf entsetzliche Weise staatliche Anerkennung finden würden; man war vielmehr bereit, über die „antisemitische Verirrung" des Komponisten hinwegzusehen. Indessen stand das Ehepaar van Son der antisemitischen Strömung durchaus nicht gleichgültig gegenüber. Als 1909 in Hamburg der neunte Zionistische Weltkongress veranstaltet wurde, zählten Hugo und Regina van Son zu den Teilnehmern. Das war keine Kleinigkeit, denn die junge jüdische Nationalbewegung stieß damals in weiten Kreisen des jüdischen Bürgertums auf Ablehnung: *„Wir deutschen Juden sind Deutsche und wollen es bleiben. Wir sind deutsche Staatsbürger jüdischer Konfession. Unser Ziel ist völlige Gleichstellung und Assimilation"*. Die Zionisten bekannten das Gegenteil: *„Wir Juden aller Länder sind Angehörige der jüdischen Nation. Wir wollen keine Assimilation, unser Endziel ist, in Palästina, im Lande unserer Väter, national zu leben und [uns dort] national auszuleben."*[15]

Anders als bei internationalen Kongressen sonst üblich, erschien zur Begrüßung der Delegierten des Zionistischen Weltkongresses kein Vertreter der Hamburger Regierung. Ein prominentes Mitglied der Jüdischen Gemeinde hatte den Senat gebeten, der Veranstaltung fernzubleiben.[16] Die

---

15 Frankfurter Zeitung, Artikel „Die zionistische Bewegung", ohne Datum (1909), in: StH, 111-1 Senat, Cl. VII Lit. Rf Nr. 29 Vol. 131.

16 StH, 111-1 Senat, wie Anm. 15.

Teilnahme am Zionistenkongress trug Hugo und Regina im Familien- und Freundeskreis bittere Vorwürfe ein; erst nach Jahren wurde ihnen der „Lapsus" verziehen.[17] Schließlich traten sie in den angesehenen Centralverein deutscher Staatsbürger jüdischen Glaubens ein. Diese Organisation verfolgte keine zionistischen Ziele, sondern engagierte sich für die Durchsetzung der staatsbürgerlichen Rechte der Juden und bekämpfte den Antisemitismus. Dazu bestand in Hamburg Anlass; schon vor der Jahrhundertwende hatten antisemitische Agitatoren hier an Boden gewonnen, indem sie „die Juden" zu Verursachern der auf die Gründerjahre folgenden wirtschaftlichen Depression erklärten, und Kandidaten der antisemitischen Deutschsozialen Reformpartei war der Einzug in das Hamburger Parlament gelungen. Der Deutschnationale Handlungsgehilfenverband, eine mitgliederstarke Berufsorganisation der Angestellten, nahm ausschließlich Nicht-Juden auf. Wirksamer noch als der lauthals propagierte Antisemitismus waren die verschwiegenen Ressentiments gegen Juden in Kreisen der christlichen Hamburger Oberschicht. Ihr Einfluss sorgte dafür, dass es in Hamburg weder jüdische Senatoren noch jüdische Spitzenbeamte gab, und sie achteten darauf, dass Juden auch der Eintritt in andere Schlüsselpositionen der Gesellschaft verwehrt blieb. Das „Hamburger Geschlechterbuch",

---

17 Salomon van Son, wie Anm. 12, S. 100.

in dem alteingesessene christliche Familien stolz ihre Stammtafeln veröffentlichten, enthielt eine Besonderheit für Eingeweihte: Jüdische Einheiraten wurden darin durch ein „versehentlich“ gesetztes Komma angezeigt. Trotz aller offenen und verdeckten Diffamierung herrschte in den Jahren vor dem Ersten Weltkrieg Optimismus in der jüdischen Gemeinde. Schon seit Jahrzehnten war die rechtliche Gleichstellung der Juden in Hamburg verfassungsmäßig garantiert; Gerechtigkeit, Vernunft und religiöse Toleranz hatten gesiegt und würden mit wachsendem Fortschritt auch die judenfeindlichen Vorurteile in der Gesellschaft verjagen. Das Land prosperierte, Wissenschaft und Kunst blühten, jüdische Forscher, Komponisten, Dichter und Maler erlangten Weltruhm. Deutschland schien unter der Herrschaft des dynamischen Kaisers einer glücklichen Zukunft entgegenzugehen. Dass Wilhelm II. keine Ressentiments gegenüber Juden hegte, schien seine Freundschaft mit dem Hamburger Reedereidirektor Albert Ballin zu beweisen. Ballin, unter dessen Leitung die HAPAG zur größten Schifffahrtsgesellschaft der Welt aufstieg, war ein leuchtendes Beispiel dafür, dass Juden im Kaiserreich zu höchster gesellschaftlicher Anerkennung gelangen konnten.
Für das Ehepaar van Son begannen glückliche Jahre. Als wohlhabender Kaufmann verfügte Hugo über die Mittel für ein Leben in materieller Sorglosigkeit. Bald stellte sich Nachwuchs ein: am 14. Juli 1907 wurde die Tochter Ilse und am 17. Dezember 1908 der Sohn Herbert geboren. Nichts

schien das Glück der jungen Familie im dritten Stock des Hauses Hansastraße 38 stören zu können. In dieser Zeit las Regina van Son einen Roman, der zu einem ihrer Lieblingsbücher wurde: Jettchen Gebert. Die im Biedermeier angesiedelte Handlung beschreibt die Zuneigung einer jungen Frau aus jüdischer Familie zu einem träumerischen Literaten und ihren schmerzhaften Entschluss zur Heirat aus Pflichtgefühl mit einem robusten Pragmatiker. Der Roman von Georg Hermann war damals ein Bestseller und ist auch heute noch im deutschen Buchhandel erhältlich.[18]

1909 erwarb Hugo van Son das Hamburger Bürgerrecht und gehörte damit zur privilegierten Minderheit der Inhaber des Wahlrechts zum Hamburger Parlament.[19] Patriotismus und Fortschrittsglaube beherrschten das jüdische Bürgertum. Auf wirtschaftlichem, technischem und kulturellem Gebiet war der Fortschritt in Hamburg nicht zu übersehen. Mit dem groß angelegten Hauptbahnhof entstand eine Zentralstation, die Hamburg mit allen Himmelsrichtungen verband. In der Schlüterstraße wurde 1908 eine Fernsprechzentrale mit gewaltiger Kapazität erbaut. Im selben Jahr feierte man die

---

18 Der Roman des jüdischen Autors Georg Hermann (Pseudonym von Georg Hermann Borchardt) erschien 1906. Vgl. Dorothea Shefer-Vanson (Hg.): The Tobacco Road. The Collected Letters of Herbert van Son. Mevasseret Zion 2003, S. 62. Georg Hermann Borchardt wurde 1943 in Auschwitz ermordet.

19 StH, 332-7 Staatsangehörigkeitsaufsicht, A I f Bd. 230, S. 565.

Eröffnung der Musikhalle; wissenschaftliche Einrichtungen wie das Institut für Schiffs- und Tropenkrankheiten, das Kolonialinstitut und das Weltwirtschaftsarchiv nahmen ihre Arbeit auf. Mit der Anlage der Mönckebergstraße gewann die Innenstadt ein modernes Gesicht. Die elektrische Hochbahn ging in Betrieb, am Hafen entstanden die St. Pauli-Landungsbrücken und der Elbtunnel. Auf Hamburger Werften liefen die größten Schiffe der Welt vom Stapel. Das kräftige Wirtschaftswachstum sorgte für Investitionen und Arbeit. Die massive Zuwanderung ließ die Einwohnerzahl 1910 auf über eine Million anwachsen. Hamburg war in der Tat zu einer Weltstadt herangewachsen, nur auf politischem und sozialem Gebiet konnte vom Fortschritt keine Rede sein. Das 1906 eingeführte Dreiklassenwahlrecht schloss die übergroße Mehrheit der Bevölkerung von der politischen Mitbestimmung aus. 1907 besaßen nur 60 000 Einwohner das Wahlrecht für die Bürgerschaft; Frauen waren davon ganz ausgeschlossen. Die Regierung lag in den Händen auf Lebenszeit gewählter Senatoren, die der Hamburger Oberschicht angehörten und sich drängenden demokratischen und sozialen Reformen verschlossen. Glanz und Gloria der Kaiserzeit konnten nicht darüber hinwegtäuschen, dass die Masse der Bevölkerung in Armut lebte. Ihre mitgliederstarken Interessenvertretungen, allen voran die sozialdemokratische Partei und das Hamburger Gewerkschaftskartell, kämpften vergeblich für die Änderung der ungerechten Machtverhältnisse. Der Ausbruch des Ersten Weltkriegs ließ die Gegensätze zunächst in Vergessenheit geraten. Jubelnde Begeisterung erfasste alle Bevölkerungsschichten; warnende Stimmen wurden überhört. In den „Hamburger Jüdischen Nachrichten" rief der Centralverein deutscher Staatsbürger jüdischen Glaubens zur Geschlossenheit auf:

> *An die deutschen Juden!*
>
> *In schicksalsernster Stunde ruft das Vaterland seine Söhne unter die Fahnen. Dass jeder deutsche Jude zu den Opfern an Gut und Blut bereit ist, die die Pflicht erheischt, ist selbstverständlich. Glaubensgenossen! Wir rufen Euch auf, über das Maß der Pflicht hinaus Eure Kräfte dem Vaterlande zu widmen! Eilet freiwillig zu den Fahnen! Ihr alle – Männer und Frauen – stellet Euch durch persönliche Hilfeleistung jeder Art und durch Hergabe von Geld und Gut in den Dienst des Vaterlandes!*[20]

Hugo van Son war 1898 als tauglich für den „Landsturm I mit Waffe" befunden worden und zog, nunmehr 39 Jahre alt, in den Krieg.[21] Da er aufgrund familiärer und geschäftlicher Beziehungen zur Heimat seiner Vorfahren die niederländische Sprache beherrschte, wurde er in Holland als Übersetzer

---

20 Hamburger Jüdische Nachrichten vom 5. August 1914, S. 13.
21 StH, 342-2 Militär-Ersatzbehörden, D II 79 Bd. 4, Nr. 462.

telegraphischer Nachrichten eingesetzt.[22] Für über 400 seiner jüngeren jüdischen Kameraden aus Hamburg gab es keine Rückkehr. Sie bezahlten ihren Einsatz mit dem Leben.[23] Um ein Vielfaches größer war die Zahl der als Invaliden heimkehrenden jüdischen Soldaten. Verkrüppelt, erblindet, nervenkrank – mit fortschreitender Kriegsdauer gehörte der Anblick junger Männer mit amputierten Gliedmaßen auch im Grindelviertel zum gewohnten Straßenbild. Der schnelle Sieg der deutschen Armeen war entgegen der allgemeinen Erwartung ausgeblieben. Trotz staatlicher Lenkung der Lebensmittelversorgung nahm der Mangel an Nahrungsmitteln zunehmend dramatische Formen an. Im Winter 1916/1917 führte der Unmut der hungernden Bevölkerung in Hamburg und Altona zu Revolten, die nur mit militärischer Gewalt niedergeschlagen werden konnten. Zahlreiche gemeinnützige Vereinigungen bemühten sich um eine Linderung der Not, und hier wie im Berufsleben traten Frauen an die Stelle der in den Krieg gezogenen Männer. Frauen betrieben Notküchen, kümmerten sich um hilfsbedürftige Familien, widmeten sich der Betreuung von Alten und Kranken. Die Zahl der jüdischen Wohltätigkeits-

---

22 Salomon van Son, wie Anm. 12, S. 99. Von 1900 bis 1902 hatte Hugo van Son in Holland gelebt. StH, 332-7 Staatsangehörigkeitsaufsicht, Abl. 2002, Staatsangehörigkeitsausweise, Hugo van Son.

23 Reichsbund jüdischer Frontsoldaten (Hg.): Die jüdischen Gefallenen des deutschen Heeres, der deutschen Marine und der deutschen Schutztruppen. Berlin 1932, S. 369 ff.

und Fürsorgeorganisationen war in Hamburg und Altona außerordentlich groß. Der Israelitische Frauenverein für Krankenpflege, in dessen Vorstand Regina van Son in späteren Jahren berufen wurde, bestand damals bereits seit über neunzig Jahren.[24]
Am 10. März 1916 wurde Reginas drittes und letztes Kind geboren: Manfred. Der tägliche Kampf um die Beschaffung von Lebensmitteln, die Sorge um den in Holland stationierten Ehemann und der ungewisse Ausgang des Krieges erforderten Reginas ganze Kraft. Am Ende der zermürbenden Kriegsjahre war die junge Familie im dritten Stock des Hauses Hansastraße 38 wieder vereint. Und doch war nichts wie früher. Drückende Sorgen bestimmten den Alltag.

---

24 Ina Lorenz: Die Juden in Hamburg zur Zeit der Weimarer Republik. (Hamburger Beiträge zur Geschichte der deutschen Juden, Bd. XIII/Teil 2). Hamburg 1987, S. 851.

Die Drachensaat

Die glückliche Vorkriegszeit, in der Wohlstand und Lebensfreude in der aufstrebenden Weltstadt geherrscht hatten, gehörte einer unwiederbringlichen Vergangenheit an. Die Niederlage der für unbezwingbar gehaltenen deutschen Kriegsmacht, die überaus harten Bedingungen des Versailler Friedensvertrags und die hoffnungslose Wirtschaftslage wirkten zutiefst niederschmetternd. In dieser Situation gewannen die Antisemiten neues Oberwasser. Als Urheber allen Unglücks machten sie „die Juden" aus. Das Hirngespinst einer Verschwörung mit dem Ziel der „jüdischen Weltherrschaft" fand zahlreiche Anhänger. Nicht das fahrlässige Großmachtgehabe des Kaisers habe den Krieg ausgelöst, auch sei die deutsche Niederlage keinesfalls mit der militärischen Übermacht der Entente zu begründen – schuld an allem seien ausschließlich Juden. Schon während des Krieges hatten antisemitische Kreise den Verdacht geäußert, dass zahlreiche Juden dem Wehrdienst zu entgehen suchten, worauf eine vom Kriegsminister angeordnete diskriminierende Zählung der jüdischen Kriegsteilnehmer erfolgt war. Die Zählung ergab, dass im Verhältnis zur Gesamtbevölkerung mehr jüdische als nicht jüdische Soldaten eingezogen worden waren, was die antisemitischen Diffamierungen allerdings nicht verstummen ließ, da das Ergebnis unveröffentlicht blieb.[25] Als der englische Außenminister Lord Balfour 1917 die „Errichtung einer nationalen Heimstätte für das jüdische Volk in Palästina" zusicherte, wurde dies als Beleg dafür gewertet, dass Juden eben doch keine „wahren Deutschen" sein wollten. Besonders erregte man sich über den Zustrom von „Ostjuden", jener ärmlichen, in Sprache und Kleidung fremdartig wirkenden Neuankömmlinge aus Polen und Russland. Viele von ihnen waren als Arbeiter für die Rüstungsindustrie nach Deutschland gekommen, froh, der zaristischen Unterdrückung und den Pogromen, der Massenarmut und den revolutionären Wirren in ihrer Heimat entkommen zu sein.

Zum Verständnis des Klimas, in dem offener Judenhass in Hamburg zu wuchern begann, ohne die gebührende staatliche und gesellschaftliche Ächtung zu erfahren, ist ein Blick auf die politische Entwicklung der ersten Nachkriegsjahre hilfreich. Bereits in dieser Phase wurde der Boden für die Akzeptanz eines Regimes bereitet, das die Verfolgung der Juden später zum staatlichen Programm erheben würde.

Nach dem Ende des Weltkriegs lag die politische Macht

---

25 John F. Oppenheimer (Hg.): Lexikon des Judentums. Gütersloh 1967, S. 507. – Wanda Kampmann: Deutsche und Juden. Frankfurt a.M. 1986, S. 445.

in Hamburg zunächst in den Händen eines revolutionären Arbeiter- und Soldatenrats und ging 1919, nach der Wahl einer verfassungsgebenden Bürgerschaft, auf das Parlament über. Obwohl die SPD über die absolute Mehrheit der Mandate verfügte, verzichtete ihre Fraktion darauf, das Amt des Ersten Bürgermeisters und die Hälfte der Senatssitze mit Vertretern der eigenen Partei zu besetzen. Stattdessen wurden Repräsentanten aus dem bürgerlichen Lager an der Regierungsmacht beteiligt, darunter auch solche, die bereits dem Vorkriegssenat angehört hatten. Der sozialdemokratischen Führung war es angesichts der katastrophalen Lage nach dem Ende des Krieges geraten erschienen, regierungserfahrene konservative Kräfte in die Verantwortung einzubinden. Die Anhänger der linksextremen Parteien, USPD und KPD, bekämpften die in ihren Augen weit nach rechts abgedriftete SPD mit aller Schärfe. In der Tat hatte sich diese Partei durch das Bündnis mit den Vertretern des Bürgertums der Möglichkeit begeben, restaurative Tendenzen im Staat überall wirksam zu bekämpfen und sie zugunsten einer tiefgreifenden Demokratisierung aus den Behörden zu verbannen. Dieser Mangel offenbarte sich auf verhängnisvolle Weise bei der Neugestaltung der Hamburger Polizei. In den Reihen der zum Schutz der Demokratie gebildeten Ordnungspolizei fanden sich wenige Jahre später fanatische Parteigänger der Nationalsozialisten, und 1933 rekrutierte die Gestapo den Großteil ihres Personals aus eben dieser Ordnungspolizei. Auch Claus Göttsche, der als Judenreferent der Gestapoleitstelle Hamburg ab Oktober 1941 Tausende Menschen in den Tod deportieren würde, begann seine Laufbahn 1921 in dieser Polizeiformation. Während Regina van Son im Grindelviertel sorglos zum Einkaufen ging, patrouillierte ihr späterer Schreibtischmörder als biederer Schutzmann durch die Straßen. Die Ordnungspolizei war im Wesentlichen ein Geschöpf von Paul von Lettow-Vorbeck, des einstigen Kommandeurs der kaiserlichen Schutztruppe in Ostafrika. Im Juni 1919 war er mit 10 000 kampferprobten Soldaten nach Hamburg gezogen, um „für Ordnung zu sorgen", nachdem der Hamburger Senat Reichstruppen zur Niederschlagung der „Heil'schen-Sülze-Unruhen" angefordert hatte.[26] Lettow-Vorbecks vom Senat gebilligter Vorschlag für die Reorganisation der Hamburger Polizei folgte einem Konzept, das militärischer kaum gedacht werden konnte. Das Stammpersonal für die neue Polizei hatte er selbst mitgebracht: ihren Kern bildeten Angehörige der in Afrika eingesetzt gewesenen Schutztruppe und Soldaten anderer Verbände, mit denen der General in Hamburg einmarschiert war. Proteste gegen die durch und durch militaristisch und antidemokratisch orientierte neue Polizei blieben erfolglos. Lettow-Vorbeck war in der Tat kein Freund der

26 Der Fleischfabrikant Jakob Heil war in den Verdacht geraten, verdorbenes Fleisch, Ratten und Mäuse zu Sülze verarbeitet zu haben. Im Verlauf schwerer Tumulte besetzten Demonstranten das Rathaus und den Sitz der Polizeibehörde.

demokratischen Republik.[27] Seine Soldaten ließ er von antisemitischen Agitatoren „unterrichten"; Propagandisten des Deutsch-Völkischen Schutz- und Trutzbundes, dessen gern gesehener Redner er selber war, referierten vor dem Korps Lettow-Vorbeck über „die Judenfrage".[28]

Antisemitische Tendenzen offenbarten sich auch im Freiwilligenwachbataillon Bahrenfeld, einem Freikorps des rechtsgerichteten bürgerlichen Lagers. Auf üble Weise machten Angehörige der „Bahrenfelder" Ende 1919 von sich reden, als sie im Conventgarten daran mitwirkten, den Abbruch eines Rezitationsabends des berühmten Schauspielers Alexander Moissi zu erzwingen. Am 4. Februar 1920 diffamierte der Abgeordnete Jacobsen von der Deutschnationalen Volkspartei den Künstler als „Moses, der sich Moissi nennt". Dann ergriff der sozialdemokratische Abgeordnete Dr. Herbert Pardo das Wort:[29]

> *Meine Damen und Herren, ich kann Ihnen erklären – und diese Erklärung gebe ich als Jude im Namen Tausender meiner jüdischen Volksgenossen ab: Das Judentum ist erhaben über die Schmutzangriffe.*

---

27 Im März 1920 beteiligte sich Lettow-Vorbeck am Putsch des Rechtsextremisten Wolfgang Kapp.

28 Uwe Lohalm: Völkischer Radikalismus. Die Geschichte des Deutsch-Nationalen Schutz- und Trutzbundes 1919-1923. Hamburg 1970, S. 127 und 406, Anm. 21.

29 Stenographische Berichte der Bürgerschaft, 5. Sitzung vom 4.2.1920, S. 133.

Das Judentum hat jahrhundertelang, ich kann sagen jahrtausendelang, seine Leistungen in der Kultur bewährt und hat es zu anderen Ergebnissen gebracht als die Freunde des Herrn Jacobsen, deren Kultur wir am vorigen Donnerstag [dem Tag des Krawalls im Conventgarten] gesehen haben. [...] Ich kann die Erklärung abgeben, dass die Juden auch fernerhin unbeirrt am Wohl der Völker, in deren Mitte sie leben, fortarbeiten werden. Sie werden nach Palästina gehen, nicht nach dem Willen des Herrn Jacobsen und seiner Freunde, sondern dann, wenn sie es für notwendig halten. Dieser Zeitpunkt ist noch nicht gekommen, und sie sehen einstweilen noch nicht die Notwendigkeit ein, den deutschen Staub von ihren Füßen zu schütteln. Sie verlassen nicht feige ihr Volk [...]. Die Juden werden auch weiterhin ihre Kraft am Wiederaufbau des deutschen Volkes mitwirken lassen. Dieses indes nur nebenbei. Sie entschuldigen, dass ich gewissermaßen pro domo gesprochen habe. Die Juden haben sich bisher zurückgehalten, aber das Überhandnehmen der antisemitischen Propaganda zwingt auch uns einmal, in der Öffentlichkeit unseren Standpunkt zu vertreten. [...] Jetzt ist es noch Zeit; kommt aber eines Tages der Moment, wo diese Drachensaat, die von jener Seite gesäet wird, aufgeht, dann kann es zu spät sein.

Gegen den hemmungslos propagierten Antisemitismus setzte sich die jüdische Gemeinde in Hamburg mit Appellen an den Senat und warnenden Presseartikeln zur Wehr. Von der hamburgischen Regierung wurde die judenfeindliche Aggression als „sektenhafte Erscheinung" herabgestuft; energische Maßnahmen blieben aus.[30] Weitaus bedrohlicher erschienen dem Senat die Aktivitäten der Kommunisten. Als die Hamburger KPD im Oktober 1923 einen Aufstand initiierte, der die Stadt in Panik versetzte und über 100 Menschenleben forderte, schien ein für alle Mal bewiesen, woher die Hauptgefahr drohte. Der als „Hamburger Aufstand" in die Geschichte eingegangene Putschversuch war letztlich daran gescheitert, dass sich die Masse der Arbeiterschaft an der Erhebung nicht beteiligen mochte. In weiten Kreisen der Bevölkerung behielt man die blutigen Kämpfe vom Oktober 1923 in traumatischer Erinnerung und sah in den rechtsextremen Kräften das geringere Übel, zumal sie in unterschiedliche Parteiungen und Verbände aufgesplittert waren. Eine ihrer kleinsten Organisationen wurde von einem Zigarrenverkäufer in der Caffamacherreihe geleitet – die Ortsgruppe Hamburg der NSDAP. Beratungsthemen waren die Verbreitung der „Idee Adolf Hitlers", die Schriften von Theodor Fritsch und die „Protokolle der

30 Ina Lorenz, wie Anm. 24, S. 1000 ff.

Weisen von Zion".[31]

Nach 1923 geriet Hamburg für einige Jahre in ruhigeres Fahrwasser. Nach dem Ende der Inflation setzte eine wirtschaftliche Erholung ein, die dem vom Krieg zugrunde gerichteten Außenhandel neue Impulse verlieh. Wie in den „goldenen Jahren" der Kaiserzeit liefen im Hafen Riesenschiffe vom Stapel; moderne Fabriken und Geschäftshäuser wie das imponierende „Chilehaus" entstanden. Den Errungenschaften der demokratischen Verfassung entsprachen liberale Strömungen, die den Weg zu einer freiheitlichen und modernen Gesellschaft zu ebnen schienen. Wissenschaft und Kunst gingen neue Wege; Reformen in Bildung und Sozialwesen führten zu außerordentlich fortschrittlichen Ergebnissen. Jüdische Männer und Frauen hatten großen Anteil an der allgemeinen Erneuerung.

Die kulturelle Blüte der zwanziger Jahre hielt ein großartiges Angebot bereit. In der Malerei, der sich Regina van Son mit besonderer Liebe widmete, machten die Ausstellungen der progressiven „Hamburgischen Sezession" von sich reden.[32]

---

31 Alfred Bordihn, 10 Jahre Kreis Rotherbaum der NSDAP. Hamburg 1935, S. 5. – Theodor Fritsch (1852-1933), Herausgeber des „Handbuchs zur Judenfrage" und anderer antisemitischer Publikationen. - Die 1905 in Russland veröffentlichten „Protokolle der Weisen von Zion" waren eine antisemitische Fälschung, mit der eine „jüdische Weltverschwörung" bewiesen werden sollte.

32 Zu den Mitgliedern der vorwiegend expressionistisch orientierten Künstlergemeinschaft zählten mit Anita Rée, Alma del Banco und Gretchen Wohlwill Malerinnen, deren Werke in der NS-Zeit als „jüdische Machwerke" verfemt wurden.

Konzert- und Theaterbesuche, Vortragsabende und das gesellige Leben im Freundeskreis boten Ablenkung von drückenden Alltagssorgen. Während der Inflation hatte Hugo van Son einen beträchtlichen Teil seines Vermögens verloren und kämpfte für die Sicherung seiner geschäftlichen Existenz.[33] Regina van Son widmete ihre ganze Kraft der Familie. Mitte der zwanziger Jahre musste sie um das Leben ihres ältesten Sohnes bangen: Herbert war an Meningitis erkrankt. Nach langem Krankenhausaufenthalt überstand er die lebensgefährliche Krankheit. Der kleine Manfred litt an starker Sehschwäche und hatte sich schmerzhafter Augenoperationen zu unterziehen. Er besaß großes musikalisches Talent und entwickelte sich zum Musterschüler seines Klavierlehrers Martin Cobliner.
Schließlich kam die Zeit, in der an die Berufsausbildung der beiden ältesten Kinder gedacht werden musste. Ilse absolvierte eine Ausbildung als Krankengymnastin und betätigte sich in diesem Fach eine Zeit lang in Holland. Herbert ergriff den Beruf seines Vaters und fuhr Anfang 1928 für ein gutes Jahr in die USA, um die Praxis des Tabakhandels im Erzeugerland kennen zu lernen. Es gelang dem Neunzehnjährigen, sich rasch in die Materie einzuarbeiten und wertvolle Erkenntnisse über die Produktion und das Handelsgeflecht zu sammeln, die er regelmäßig seinem Vater nach Hamburg übermit-

33 Salomon van Son, wie Anm. 12, S. 100.

telte. Der junge Mann war außerordentlich erfolgreich. Seine Arbeitgeber beeindruckte er durch Fleiß, Zuverlässigkeit und nützliche Verbesserungsvorschläge; seinem Vater präsentierte er neue Geschäftsideen. Die herzliche Verbindung zu seinen Eltern und Geschwistern riss zu keiner Zeit ab; mehrmals im Monat schrieb Herbert ausführliche Briefe nach Hause. Sie sind erhalten geblieben und zeugen von der Liebe und Achtung, mit der sich die van Sons begegneten; zugleich dokumentieren sie ihre weit gefächerte Bildung, ihr kulturelles Interesse, nicht zuletzt aber die hohen ethischen Grundsätze, denen die im jüdischen Glauben fest verwurzelte Familie verbunden war.[34] 1929 nahm Herbert das Angebot seiner Firma an, als Manager zur Filiale in Shanghai überzuwechseln. Dort fand er am 21. Mai 1929 unter unaufgeklärten Umständen den Tod. Die Schreckensnachricht stürzte die Eltern in tiefe Verzweiflung. Nach Manfreds Erinnerung färbte sich das Haar seiner Mutter über Nacht weiß. Die fröhliche Zeit, als die Wohnung der van Sons vom Lachen der Kinder erfüllt war und man sich abends mit Freunden zum Musizieren, Schach- und Bridgespiel traf, kehrte nie mehr zurück. Außerstande, den Tod des Sohnes zu verwinden, verlor Hugo van Son jegliche Freude an der Arbeit; sein Einkommen ging drastisch zurück. 1932 verließ die Familie ihr langjähriges Domizil in der Hansastraße und bezog eine

---

34 Dorothea Shefer-Vanson (Hg.), wie Anm. 18.

Herbert van Son, Juli 1928

Hugo van Son, 1916

Hugo van Son mit Sohn Manfred, um 1930

Ilse van Son, 1928

kleinere Wohnung im dritten Stock des Hauses Binderstraße 13. Manfred verließ die Schule und begann eine Bürolehre in einer Im- und Exportfirma.

Regina van Son gehörte nicht zu den Frauen, deren Lebenskreis auf einen engen Radius um den heimischen Herd beschränkt war. Ein einjähriger Aufenthalt bei Verwandten in England und Besuche in den Niederlanden hatten ihr Erfahrungen vermittelt, die damals nur einer Minderheit in Deutschland zuteil wurden – das Ausland kennen zu lernen und den eigenen Staat nicht als den Nabel der Welt zu begreifen.[35] Ihre Liebe zu England, dem Land Shakespeares, aus dessen Werken sie oft und gern zitierte, begleitete sie bis an das Ende ihres Lebens.

Nach den Jahren des Aufschwungs erlebte Hamburg in den letzten Jahren der Weimarer Republik einen ökonomischen und politischen Niedergang ohnegleichen. Die Ende 1929 einsetzende Weltwirtschaftskrise führte zu einer Flut von Konkursen, Massenarbeitslosigkeit, zerrütteten Staatsfinanzen und einem starken Zulauf zu radikalen Parteien. Für den rapiden Aufstieg der 1925 neugegründeten NSDAP-Ortsgruppe Hamburg war vor allem der Zuwachs an Sympathisanten aus den Kreisen des Bürgertums verantwortlich. Die Hoffnung auf den „starken

---

35 Vor ihrer Heirat verbrachte Regina van Son über ein Jahr bei Verwandten in England. Vgl. Dorothea Shefer-Vanson, wie Anm. 18, S.64.

Mann, der Ordnung schaffen würde", die Ablehnung der demokratischen Ordnung und die Akzeptanz antisemitischer Parolen verschafften Hitler bei der Reichstagswahl vom 14.9.1930 in Hamburg einen Stimmenanteil von 19,2%; die Bürgerschaftswahl vom 24.4.1932 machte die NSDAP mit 31,2% der abgegebenen Stimmen zur stärksten Fraktion im Hamburger Parlament.

Der nationalsozialistische Terror gegen die jüdische Bevölkerung Hamburgs begann schon lange vor Hitlers „Machtergreifung". Öffentliche antijüdische Hetze, Drohbriefe, Überfälle auf jüdische Passanten und Friedhofsschändungen nahmen ab 1931 derartig zu, dass Mitglieder der Jüdischen Gemeinde den Ausbruch eines Pogroms befürchteten.[36] Am 14. Juli 1932 veröffentlichte das „Hamburger Familienblatt für die israelitischen Gemeinden Hamburg, Altona, Wandsbek und Harburg" unter der Überschrift „Naziterror im Grindelviertel" den folgenden Bericht:

> *In den letzten Wochen ist es in erschreckend häufigen Fällen zu täglichen – besser nächtlichen – Belästigungen jüdischer Passanten durch uniformierte Nationalsozialisten, besonders im oberen Teil der Grindelallee, gekommen. Fast jede Nacht ereignen sich*

36 Ina Lorenz, wie Anm. 24, S. 1002. Siehe auch Arie Goral-Sternheim: Jeckepotz. Eine deutsch-jüdische Jugend 1914-1933. Hamburg 1989, S. 147.

Überfälle und Anrempeleien, die leider nur zum geringsten Teil bei der Polizei von den Betroffenen gemeldet werden. Das ist wohl darauf zurückzuführen, daß – wie bekannt geworden ist – die Polizei die Anzeigenden fast stets auf den Weg der Privatklage verweist, statt die Anzeigenden von sich aus weiterzugeben. Bei der Häufung derartiger Übergriffe müßte an die Polizei prinzipiell „von oben" die Weisung ergehen, daß solche planmäßigen Anrempeleien Einzelner als Störung der öffentlichen Ordnung und Sicherheit zu betrachten und als solche zu verfolgen seien. Wir haben gewiß nicht die Absicht, eine Panikstimmung zu erzeugen – das besorgen die Nazis schon zur Genüge! – müssen es aber doch einmal offen aussprechen, daß es heute fast schon ein Wagnis ist, des Nachts als Jude gewisse Straßen des Grindelviertels zu passieren...
Allein in den letzten Tagen bzw. Nächten ereigneten sich u.a. folgende Überfälle, die keineswegs die Zahl derartiger Vorkommnisse erschöpfen: In der Fröbelstraße wurden zwei junge jüdische Kaufleute überfallen und durch Stockhiebe verletzt. Der eine erlitt dabei einen doppelten Nasenbeinbruch, der längere ärztliche Behandlung erfordert. – Zwei jüdische Studenten wurden an der Ecke Fröbelstraße und Grindelallee von 30 (!) uniformierten Nazis überfallen und verprügelt. Einer von ihnen erlitt eine schwere Kieferverletzung. Beide konnten zunächst flüchten, wurden jedoch in der Beneckestraße von den

gleichen Tätern eingeholt und zum zweiten Male miß-handelt. – Am Tage darauf wurde ein einzelner jüdischer Student an derselben Ecke wiederum überfallen. – Keiner der Überfallenen trug irgendein provozierendes Abzeichen; keinem dieser feigen Überfälle ging irgendein Wortwechsel voraus!

Auch in der nächsten Nähe des Gemeindehauses [der Deutsch-Israelitischen Gemeinde] in der Johnsallee erfolgten einige nächtliche Überfälle, und zwar auf heimkehrende Versammlungsteilnehmer, so besonders am 4. und 5. Juli. Mehrfach versuchten Nationalsozialisten auch schon, gewaltsam in das Haus einzudringen, so daß man das Überfallkommando zu Hilfe rufen musste. Am 4. Juli wurde das Haus regelrecht von den Nazis belagert, die einen jüdischen Reichsbannermann dort abfangen wollten.

Im oberen Teil der Rentzelstraße ereigneten sich ferner vor dem Nazilokal „Kraftfahrer" ständig Anrempelungen jüdischer Passanten. – Weitere Überfälle erfolgten in der Sedanstraße (und zwar am hellen Tage!), in der Nähe der Sternschanze, zweimal in der Nähe des „Klinkers" und einige Male im Bornpark. Daß es sich hierbei um vorbereitete und planmäßige Gewalttaten handelte, beweist die Tatsache, daß bei einem nächtlichen Überfall auf einen jüdischen Radler die Straße oben und unten von den Nazis vorher kunstgerecht abgeriegelt worden war.

Vor dem Hause Rothenbaumchaussee 77, in dem eine größere Naziabteilung untergebracht ist, kommt es fortwährend durch die hier auf der Straße sich herumtreibenden Hitlerleute zu Belästigungen der Passanten. Vorübergehende werden beschimpft; oft wird versucht, sie durch Beinstellen – eine oft beobachtete Nazispezialität – zu Fall zu bringen. Am vergangenen Sonnabend wurde dort ein jüdischer Passant derart belästigt, daß er polizeiliche Hilfe in Anspruch nehmen mußte. Die Feststellung der Nazihelden gelang aber selbst mit Hilfe eines Polizeibeamten nicht, da die in dem Hause in starker Übermacht anwesenden Nazis eine so bedrohliche Haltung annahmen, daß der Polizist schon Mühe genug hatte, den Überfallenen zur Wache zu begleiten, wo er zwei Stunden verweilen mußte, bis er es wagen konnte, den Heimweg ungestört anzutreten.
Diese nur kleine Auslese der uns bekannt gewordenen Überfälle erhärtet zur Genüge die Berechtigung unserer Forderung an die zuständigen Behörden, hier endlich und gründlich Abhilfe zu schaffen. Kann man gewiß nicht erwarten, daß die Polizei ständig alle Straßen besetzt hält und stets und sofort bei Überfällen usw. zur Stelle ist, so sollte sie auf die gerade in diesem Stadtteil so zahlreich eingerichteten SA-Kasernen und Nazilokale auf alle Fälle ein etwas wachsameres Auge haben. Und dies umso mehr, da es fast scheint, als ob die Nazis systematisch das Grindel-Rothenbaum-Viertel mit solchen

„Kasernen" durchsetzt hätten, die sich vor allem auf der Rothenbaumchaussee und der Rentzelstraße, dann aber hauptsächlich auch an der Bundesterrasse breit machen und Ausgangspunkte des Wegelagererunwesens ihrer Stammbesucher sind.

Von energischen Abwehrmaßnahmen der hamburgischen Regierung konnte keine Rede sein. Im Gegenteil: Knapp drei Wochen später hob der von SPD und Deutscher Staatspartei gebildete Senat das Verbot der NSDAP-Mitgliedschaft von Polizeibeamten auf. Der Senat folgte damit dem Beispiel Preußens, das seit dem 20.7.1932 von Reichskanzler Franz von Papen kommissarisch regiert wurde. Kraft einer von ihm initiierten „Notverordnung zur Wiederherstellung der öffentlichen Sicherheit und Ordnung" hatte von Papen die preußische Landesregierung abgesetzt und das Verbot der Zugehörigkeit preußischer Polizeibeamter zur NSDAP aufgehoben. Die hamburgische Regierung fürchtete, ebenfalls einem Reichskommissar weichen zu müssen und hoffte, ihrer Entmachtung durch eine Anpassung an von Papens NSDAP-freundliche Haltung gegenüber der Polizei vorbeugen zu können.[37] Polizeisenator Schönfelder rechtfertigte

---

37 Helmut Fangmann u.a.: „Parteisoldaten". Die Hamburger Polizei im „3. Reich". Hamburg 1987, S. 27. - Ursula Büttner/Werner Jochmann: Hamburg auf dem Weg ins Dritte Reich. Entwicklungsjahre 1931-1933. Hamburg 1983, S. 31 f.

diesen verhängnisvollen Schritt zu Beginn des Jahres 1933 im Parlament mit folgenden Worten:

> *Nach der Entwicklung, die die NSDAP nahm, meinte der Senat, daß er den Erlaß, der früher bestand und in dem zwei Parteien [KPD und NSDAP] genannt waren, die auf gewalttätige Weise die verfassungsmäßigen Zustände in Deutschland ändern wollten, aufheben könne, da er für die NSDAP von einem gewissen Zeitpunkt ab nicht mehr zutreffend sein könne. Der Senat war also der Meinung, daß man damit rechnen könne, daß diese Partei jetzt bereit sei, die Verwirklichung ihres Zieles auf verfassungsmäßigem Wege, parlamentarisch oder sonst wie, zu verfolgen.*[38]

Die NS-Presse triumphierte:

> *Als im August dieses Jahres [1932] das Verbot der Zugehörigkeit zur NSDAP gefallen war und der große Erfolg der Reichstagswahl in aller Herzen nachhallte, waren 75% aller Polizeioffiziere auf einmal nationalsozialistisch.*[39]

---

38 Stenographische Sitzungsprotokolle Hamburger Bürgerschaft, 1933, S. 32.

39 „Hamburger Tageblatt" vom 2.11.1932. – Der angegebene Prozentsatz ist allerdings maßlos übertrieben. Vgl. Helmut Fangmann u.a., wie Anm. 37, S. 43 f.

Die Hoffnung der hamburgischen Landesregierung, ihren Fortbestand durch Konzessionen an die Nationalsozialisten sichern zu können, erwies sich schon bald als grundlegender Irrtum.

Die Herrschaft des Rassenwahns

Die Reichstagswahl vom 6. November 1932 bescherte den Nationalsozialisten beträchtliche Stimmenverluste. Hitlers Vormarsch zur Macht war gebremst, und vielen schien es, als habe er seinen Zenit bereits überschritten. Der Optimismus war verfrüht. Nicht die Mehrheit der Wähler, sondern das Intrigenspiel des „Herrenreiters“ Franz von Papen, eines ultra-konservativen Gegners der demokratischen Staatsverfassung, verhalf Hitler zur Regierungsgewalt. Von Papens verhängnisvolles Taktieren, das ihn zum „Steigbügelhalter Hitlers“ werden ließ, begann nach seinem eigenen Sturz als Reichskanzler am 17. November 1932. Für das Ende seiner Regierung hatte maßgeblich von Papens früherer Verbündeter General von Schleicher gesorgt; ihn ernannte Hindenburg jetzt zum Nachfolger im Amt des Reichskanzlers. Von Papen war um keinen Preis bereit, sich damit abzufinden. Mit den Nationalsozialisten paktierend, betrieb er den Sturz seines Nachfolgers von Schleicher mit aller Energie. Schließlich gelang es ihm, den widerstrebenden Reichspräsidenten von der Notwendigkeit eines Kabinetts Hitler-Papen zu überzeugen.

Am Mittag des 30. Januar 1933 verbreitete der Rundfunk die Nachricht von Hitlers Ernennung zum Reichskanzler. Die Reaktion seiner Hamburger Parteigänger beschrieb ein nationalsozialistischer Journalist:[40]

> *Einige Stunden sind sie alle wie im Taumel durch die Straßen gelaufen, haben in den Sturmlokalen geschrieen und getobt vor Begeisterung. Sie hocken an den Tischen zusammen, SA, SS, die Männer der Partei, Frauen und Mädel kommen, Hitlerjugend dazwischen. Es ist ein Jubel ohnegleichen.*

Es war soweit – jetzt wollten Hitlers Horden für den jahrelangen „Kampf", wie die SA-Männer ihren Straßenterror nannten, belohnt werden. Noch aber hielt ihr Idol bei weitem nicht die ganze Macht in Händen. Dem Kabinett Hitler gehörten nur zwei nationalsozialistische Minister an; die Gefolgsleute des neuen Vizekanzlers von Papen waren in der Mehrheit. Damit bestand nach von Papens Worten die Gewähr, Hitler mäßigen und zügeln zu können.

Regina van Son gehörte nicht zu den Frauen, die als „Heimchen am Herd" keinen Anteil am politischen

---

40 Hermann Okraß: „Hamburg bleibt rot." Das Ende einer Parole. Hamburg 1934, S.301.

Zeitgeschehen nahmen und Politik für „Männersache" hielten. Sie verfolgte die Ereignisse mit gespannter Aufmerksamkeit. Die Schreckensnachricht von Hitlers Ernennung zum Reichskanzler wirkte wie ein Schock. Was war zu tun?

Überlebende der Schoah, die sich für einen Dialog mit Schülerinnen und Schülern zur Verfügung stellten, hörten nicht selten diese Frage: „Weshalb haben Sie das Land nicht verlassen, als Hitler zur Macht kam?" Die gut gemeinte Frage geht von grundfalschen Voraussetzungen aus. Sie unterstellt insbesondere, dass Dauer und Folgen der nationalsozialistischen Herrschaft vorhersehbar waren.
In den letzten Jahren der Weimarer Republik hatte die Reichsregierung häufig gewechselt, und wenig deutete darauf hin, dass es dem neuen Kabinett anders ergehen würde. Für den Fall, dass Hitler die antisemitische Hasspropaganda in Taten umsetzen wollte, würden die nicht zur NSDAP gehörenden Minister, erst recht aber der Reichspräsident, dies zu verhindern wissen. Deutschland galt als Kulturstaat, in dem der Rassenwahn als Regierungsprogramm undenkbar erschien. Dass solche Erwartungen falsch waren, bedeutet nicht, dass sie Vernunft vermissen ließen. Die grauenhaften Folgen der Kanzlerschaft Hitlers, die epochale Katastrophe, deren Ausmaß alles menschliche Fassungsvermögen übersteigt, waren schlechthin unvorstellbar, und nur wenige Menschen beurteilten die Zukunft am 30. Januar 1933 so pes-

simistisch, dass sie unverzüglich das Land verließen. Selbst jene, die sich öffentlich als Hitler-Gegner exponiert hatten und Repressalien befürchten mussten, entschlossen sich an diesem Tag nur in geringer Zahl zur sofortigen Flucht.
Die Schülerfrage an Überlebende der Schoah verkennt außerdem, dass eine Flucht aus Deutschland weit mehr als den Verlust der wirtschaftlichen Existenz zur Folge hatte. Sie bedeutete den Verlust der Heimat. Das Land ihrer Muttersprache zu verlassen, mit dem sie nicht weniger eng verbunden waren als Deutsche anderer Konfessionen, kam für die meisten Juden und Jüdinnen vorerst nicht in Betracht. Sie wussten sich gegenüber den schmutzigen Hetzkampagnen im Recht und erblickten in Hitlers Machtantritt eine jener schweren Prüfungen, die in der jüdischen Geschichte nicht zum ersten Mal bestanden werden mussten. Vorherrschend war ihr Wille, Haltung zu bewahren, sich mit Stolz zum Judentum zu bekennen und Trost im Glauben zu finden. „Ruhig abwarten" riet der Centralverein deutscher Staatsbürger jüdischen Glaubens seinen Mitgliedern, zu denen auch Hugo und Regina van Son zählten.[41]

Die von Hitler eingeforderte Reichstagswahl vom 5. März 1933 war bereits alles andere als eine freie Wahl. Dennoch

41 Wolfgang Benz (Hg.): Die Juden in Deutschland 1933-1945. München 1988, S. 17.

reichte der massive Einsatz staatlicher Machtmittel zugunsten der NSDAP nicht aus, um der Nazipartei die absolute Mehrheit im Parlament zu verschaffen. Mit 38,9% lag ihr Hamburger Stimmenanteil um 5% unter dem Reichsdurchschnitt. Doch dauerte es nur wenige Tage, bis die Herrschaft der Nationalsozialisten auch in Hamburg errichtet war. Nach der vom NSDAP-Innenminister Frick erzwungenen Übergabe der Polizeiführung an einen SA-Führer verfügten die Gefolgsleute um Gauleiter Kaufmann über das wichtigste Machtinstrument im Hamburger Staat. Einige Tage später wurde die alte Regierung durch einen Koalitionssenat mit sechs NSDAP-Vertretern abgelöst.
Es dauerte nur wenige Wochen, bis die rechtsstaatlichen Garantien der Weimarer Republik durch Gesetze und Verordnungen beseitigt waren und Hitler in Reich und Ländern über unumschränkte Macht verfügte. Der neue Kurs fand in der Bevölkerung lebhafte Unterstützung. Arbeitgeber beeilten sich, jüdische Angestellte zu entlassen, Gewaltakte gegen jüdische Bürger häuften sich. Ausländische Zeitungen berichteten über die Vorgänge und riefen dazu auf, deutsche Waren zu boykottieren. Zur „Bekämpfung der ausländischen Gräuelpropaganda“ forderte die NSDAP deutschlandweit zum Boykott jüdischer Geschäfte, Ärzte und Rechtsanwälte am 1. April 1933 auf. Zwei Tage vor dem Beginn der Aktion hielt Staatssekretär Georg Ahrens, die „rechte Hand des Gauleiters“, ein Telegramm in den Händen:

Den Hohen Senat ersucht der ergebenst unterzeichnete Vorstand der Deutsch-Israelitischen Gemeinde zu Hamburg, der Durchführung der heute in der Presse angekündigten Boykottmaßnahmen entgegenzutreten und auch bei der Reichsregierung gegen die Durchführung solcher Maßnahmen vorstellig zu werden. [...] Wir erwarten von dem Gerechtigkeitssinn Eines Hohen Senates, dass er nicht zulässt, dass man uns Handlungen entgelten lässt, für welche uns keine irgendwie geartete Verantwortung trifft, und uns, die wir in Krieg und Frieden uns stets als treue Söhne unserer Vaterstadt und unseres Vaterlandes erwiesen haben, gegen Maßnahmen der angekündigten Art schützt.[42]

Ahrens würdigte das Telegramm keiner Antwort. Am 1. April wurden in allen Hamburger Stadtteilen SA-Männer vor den Geschäften jüdischer Inhaber postiert, um die Kundschaft fernzuhalten. „Deutsche, kauft nicht bei Juden!" lautete die Parole. Die zentral gelenkte Aktion fand in der Bevölkerung noch nicht den gewünschten Anklang; manche Passanten empfanden die Aktion als überzogen, wenn nicht gar beschämend.

Eine Woche später wurde das „Gesetz zur Wiederherstellung des Berufsbeamtentums" erlassen. Politisch missliebige

---

42 StH, 131-4 Senatskanzlei – Präsidialabteilung, 1933 A35/34.

und „nichtarische" Angehörige des öffentlichen Dienstes verloren ihren Beruf.[43] Ausgenommen waren Juden, die im Ersten Weltkrieg als Soldaten gekämpft hatten. Eine „Besserstellung" von Weltkriegsteilnehmern gehörte zeitweise zu den Ausnahmekriterien antijüdischer Maßnahmen. Auch Hugo van Son konnte auf seinen Kriegsdienst verweisen und mag darin einen Schutz gesehen haben.
Die amtliche Judenhetze wurde schon in den Anfangstagen des Hamburger NS-Regimes auch über den Norddeutschen Rundfunk verbreitet. In den Sendungen des Rassenfanatikers Dr. Wilhelm Holzmann war dies zu hören:

> *Alles, was für das Wesen des Entarteten bezeichnend ist, trifft für das Judentum zu. Es fehlt beiden die Einheitlichkeit, die Geschlossenheit, es fehlt der Idealismus und die Ehrfurcht; daher rührt die Unfähigkeit der Juden zur Staatenbildung.*[44]

Wer öffentlich gegen den Rassenwahn protestierte, riskierte mindestens die Freiheit. Desto unerschrockener muss den Leserinnen und Lesern des Gemeindeblatts der Deutsch-

---

43 Am 29.3.1934 meldete das „Berliner Tageblatt", dass die Durchführung des Gesetzes zur Wiederherstellung des Berufsbeamtentums in Hamburg im Wesentlichen abgeschlossen sei. Die Zahl der Hamburger Juden, die als Folge des Gesetzes ihren Beruf als Beamte verloren hatten, gab das Blatt mit 83 an.

44 StH, 113-3 Innere Verwaltung, A III 1 a.

Israelitischen Gemeinde in Hamburg das noch ein Jahr später gedruckte Diktum des Altonaer Oberrabbiners Dr. Joseph Zwi Carlebach erschienen sein:[45]

> *Wer Blut und Rasse als einzige Faktoren in der Bewertung des Menschentums betrachtet, leugnet das Prinzip der Freiheit und Göttlichkeit im Menschen; der verkennt den Adel der freien menschlichen Persönlichkeit.*

Bereits in den ersten Monaten der NS-Herrschaft war die wirtschaftliche Existenzgrundlage zahlreicher jüdischer Familien in Hamburg vernichtet. Die Aufrufe der Jüdischen Gemeinde, solidarisch zusammenzustehen und die Not der Betroffenen durch Spenden zu lindern, fanden große Resonanz. Unter den rund 300 Spendern für die Verschickung kranker Kinder in Heilstätten verzeichnete das „Gemeindeblatt der Deutsch-Israelitischen Gemeinde zu Hamburg" vom 7. Juli 1933 auch Hugo van Son.

Als das Jahr 1933 zu Ende ging, war die nationalsozialistische Gewaltherrschaft bereits fest verankert. Wer ihr offen entgegentrat, geriet in die Fänge der Staatspolizei[46], wur-

---

45 10. Jahrgang, Nr. 4 vom 19.4.1934, S. 2.

46 Die Umbenennung der Staatspolizei in Geheime Staatspolizei („Gestapo") erfolgte erst 1936.

de misshandelt, in „Schutzhaft“ genommen und auf unbestimmte Dauer in ein Konzentrationslager eingewiesen. Parteien und Gewerkschaften waren liquidiert, unpolitische Vereinigungen mit „gegnerischer Weltanschauung“ verboten. Die Staatspolizei diente dem Regime von Anfang an als Instrument schrankenlosen Terrors.

Eine eigene Abteilung der Staatspolizei zur Verfolgung der Juden bestand in den Anfangsjahren noch nicht; das Wort „Juden“ erscheint in den Organisationsplänen der Staatspolizei erstmals Ende 1935 (Inspektion 2, Dezernat I, Juden, Freimaurer und Emigranten).[47] Bis dahin richtete sich die Zuständigkeit nach der Art des vorgeworfenen Vergehens. Beispielsweise wurde Inspektion 8 tätig, wenn ein Denunziant ein Verhältnis zwischen einem SA-Mann und einer Jüdin behauptete[48], während Inspektion 5 b für die Anzeige zuständig war, dass ein jüdischer Erwerbsloser ein SA-Abzeichen getragen haben sollte.[49]

Die Ende 1935 erfolgte Bündelung der Judenverfolgung in einer Inspektion bedeutet nicht, dass der Terror der Gestapo gegen Juden erst seit dieser Zeit begann. Von Anfang

---

47 StH, 131-10 II Senatskanzlei – Personalabteilung II, 742; 331-1 I Polizeibehörde I, 1061; 311-2 IV Finanzdeputation IV, VuO II C 5 a II A 7 k I Bd. 2.
48 StH, 614-2/5 Nationalsozialistische Deutsche Arbeiterpartei (und ihre Gliederungen), B 202, Schreiben der Staatspolizei, Insp. 8, vom 4.1.1935.
49 StH, wie Anm. 48, Schreiben der SA-Brigade 12 vom 28.11.1935.

an galten Hitlers Wahnvorstellungen vom „Judentum“ in der Gestapo als unumstößliche Maxime. Danach galten alle Juden als Angehörige einer verschworenen Gemeinschaft gefährlicher „Untermenschen“, die als geborene Staatsfeinde und Förderer einer „jüdisch-bolschewistischen Weltverschwörung“ nichts anderes als den Untergang der „arischen Rasse“ und damit die eigene Weltherrschaft herbeiführen wollten. Dass derartige Wahnvorstellungen aus dem Katalog psychopathologischer Krankheitsbilder zur Richtschnur polizeilichen Handelns gedeihen konnten, war vor allem das Werk von Heinrich Himmler, seines Hauptgehilfen Heydrich[50] und ihrer willigen Akteure in den lokalen Gestapostellen.[51]

Die Haupttätigkeit der Gestapo bestand zunächst in der Überwachung der Jüdischen Gemeinde, jüdischer Vereine und jüdischer Veranstaltungen, im Aufbau eines Spitzelnetzes, der Anlage umfangreicher Karteien und in der Bearbeitung von Denunziationen gegen Juden und „Judenfreunde“ aus der Bevölkerung.[52] Wie stark die „Mitarbeit“ der Bevölkerung auf diesem Gebiet in Hamburg war, lässt sich aufgrund der totalen Vernichtung der Akten der Gestapo-Leitstelle

---

50 Es ist wenig bekannt, dass Reinhard Heydrich nach seinem Hinauswurf aus der Reichsmarine einige Zeit in Hamburg wohnte und hier 1931 in die SS aufgenommen wurde. Vgl. Günther Deschner: Reinhard Heydrich. Statthalter der totalen Macht. München 1980, S. 41.

51 Am 24.11.1933 wurde Heinrich Himmler zum Kommandeur der politischen Polizei in Hamburg bestellt. Helmut Fangmann, wie Anm. 37, S. 58.

Hamburg nicht quantifizieren. Eine Untersuchung der in großem Umfang erhaltenen Akten der Düsseldorfer Gestapo aus der Zeit von 1933 bis 1945 hat gezeigt, dass 57% der dort bearbeiteten Fälle von „Rassenschande“ und „Judenfreundschaft“ auf Anzeigen aus der Bevölkerung zurückgingen.[53] War es in Hamburg anders? Anfang September 1935 begründete die Hamburger Gestapo einen Antrag auf Stellenvermehrung unter anderem mit einer „Hochflut von Anzeigen wegen Rassenschändung“.[54] Nichts deutet darauf hin, dass in der Hamburger Bevölkerung eine geringere Bereitschaft zur Denunziation von Juden bestand als in anderen Metropolen.

Claus Göttsche, der spätere „Judenreferent“ der Hamburger Gestapo, wirkte bereits im ersten Jahr der Naziherrschaft an der brutalen Verfolgung und Beraubung Andersdenkender mit. Damals gehörte er noch zum Stab von Peter Kraus, der einem Sonderkommando zur Verfolgung von Kommunisten vorstand und seine Opfer im Stadthaus, dem Sitz der

---

52 Zu den ersten Jahren der Verfolgung der jüdischen Bevölkerung durch die regionalen Gestapo-Dienststellen siehe Gerhard Paul: Staatlicher Terror und gesellschaftliche Verrohung. Die Gestapo Schleswig Holsteins. Hamburg 1996, S. 179. Zum Ausmaß der Denunziationen siehe Robert Gellately: Die Gestapo und die deutsche Gesellschaft. Die Durchsetzung der Rassenpolitik 1933-1945. Paderborn 1993, S.183-188.

53 Robert Gellately, wie Anm. 52, S. 185.

54 StH, 131-10 II Senatskanzlei – Personalabteilung II, 742.

Staatspolizei, entsetzlich misshandeln ließ.[55] Im selben Jahr war Göttsche mit der Einziehung des beschlagnahmten Vermögens der Hamburger SPD befasst.[56] In einer Verwaltungsprüfung wurde ihm diese Tätigkeit später als Klausurthema gestellt. Göttsche schrieb:

> *Mit der immer weiteren Durchdringung des öffentlichen Lebens durch den Nationalsozialismus wurde auch die S.P.D. in die Enge getrieben. [...] Zwecks Erfassung des Vermögens wurde in Hamburg sämtlichen Banken die Beschlagnahmeverfügung zugestellt und auch um Angabe der bei ihnen geführten Konten ersucht. Das Grundbuch- und Postscheckamt erhielten Kenntnis. Bei ca. 2 000 Funktionären wurden schlagartig unter Hinzuziehung uniformierter Polizeibeamter Durchsuchungen und Beschlagnahmen vorgenommen. Neben erheblichen Vermögenswerten wurden 1 200 Zentner Bücher und Broschüren beschlagnahmt, außerdem eine Bibliothek von 60 000 Bänden.*[57]

---

55 StH, 213-11 Staatsanwaltschaft Landgericht – Strafsachen, 14 Js 83/47, Rep.-Nr. 798.

56 Interview des Verfassers mit Göttsches langjähriger Sekretärin Lotte Lau vom 25.2.1987.

57 StH, 131-17 Prüfungskommission für den Verwaltungsdienst, B I 27 Bd. 12.

Als „Rechtsgrundlage" dieser Aktion dienten zwei Gesetze von Mai und Juli 1933.[58] Unter Berufung auf eben diese Gesetze konfiszierte Göttsche acht Jahre später das Eigentum Tausender Hamburger Juden, deren Deportation er befohlen hatte. Damals wie bereits 1933 ging es um die Verfolgung einer großen Anzahl von Menschen. Man wird annehmen können, dass Göttsche den in seiner Prüfungsarbeit anklingenden Stolz auf die Bewältigung des großen Arbeitsvolumens auch in der Zeit der Deportationen empfunden hat. Mit geradezu sportivem Eifer widmete er sich der umfangreichen Arbeit. Man sollte es wissen: Er, der frühere Straßenpolizist Claus Göttsche, wurde auch von ganz großen Aufgaben nicht überfordert. Vom Charakter dieses Mannes, der später als der gefürchtete „Herr Göttsche" zur zentralen Figur der Judenverfolgung in Hamburg wurde, wird noch die Rede sein.

Schilder mit der Aufschrift „Juden unerwünscht" waren schon 1933 an Hamburger Restaurants zu sehen.[59] Von der Mehrheit der Hamburger Bevölkerung wurde die Diskriminierung der Juden von Beginn an mit großer

---

58 Gesetz über die Einziehung kommunistischen Vermögens vom 26.5.1933 in Verbindung mit dem Gesetz über die Einziehung volks- und staatsfeindlichen Vermögens vom 14.7.1933.

59 Institut für die Geschichte der deutschen Juden, Hamburg, Abschrift eines 1972 von Christel Riecke mit Dr. Max Plaut geführten Tonbandinterviews, S. 64.

Gleichgültigkeit, vielfach auch mit starker Zustimmung aufgenommen. Für jene Nichtjuden, die sich mit dem Triumph der Antisemiten nicht abfinden konnten, sondern zu ihren jüdischen Freunden hielten, begannen gefahrvolle Zeiten. Und doch gab es solche aufrechten Menschen – bis zuletzt. Einzelne wurden unter Gefährdung ihres eigenen Lebens zu Rettern. „Es waren so wenige", hat der Mitbegründer der israelischen Holocaust-Gedenkstätte Yad Vashem Alexander Bronowski eines seiner Bücher genannt, und dieser Satz gilt leider auch für Hamburg.
Nach dem Beginn der nationalsozialistischen Herrschaft wurden in der jüdischen Gemeinschaft unter schwierigsten Umständen Initiativen und Hilfsprogramme entwickelt, um der Notlage solidarisch zu begegnen. Auf kulturellem Sektor gewann die Anfang 1934 gegründete „Gesellschaft für Kunst und Wissenschaft in Hamburg" große Bedeutung. Sie trug ab August 1935 den Namen „Jüdischer Kulturbund Hamburg e.V.". Zahlreiche Künstler und Wissenschaftler, die ihren Arbeitsplatz als „Nichtarier" verloren hatten, fanden hier ein Betätigungsfeld. Ihre Theateraufführungen, Konzerte und Vortragsabende im „Gemeinschaftshaus", Hartungstraße 9/11, boten den Hamburger Juden viele Stunden seelischer Stärkung, bis diese Organisation Ende 1938 vom Propagandaministerium verboten wurde.[60] Für

---

60 231-10 StH, Amtsgericht Hamburg – Vereinsregister, B 1973-257.

Regina van Son bedeuteten die Besuche im nahe an ihrer Wohnung gelegenen Gemeinschaftshaus ein Wiedersehen mit manchen Klassikern des Theaters und der Musik, die sie so sehr liebte.

Mit den Nürnberger Gesetzen vom 15. September 1935 wurde der Rassenwahn legalisiert, ohne dass der ungeheuerliche Vorgang in der Bevölkerung Proteststürme auslöste. Gerade an diesem Beispiel wird sichtbar, wie früh auch die „Intelligenz“ in Deutschland bereit war, Hitlers Wahnvorstellungen unter Ausschaltung des eigenen Verstandes willig zu folgen. Schlimmer noch: Zahlreiche Wissenschaftler machten sich zu Ausdeutern und Vorkämpfern einer „Rassenlehre“, die jeglicher Vernunft Hohn sprach und Diffamierung an die Stelle von Wissenschaftlichkeit setzte. Die „Nürnberger Gesetze“ degradierten die Juden zu Einwohnern ohne politische Rechte, verboten Liebesbeziehungen zwischen ihnen und „Ariern“ und sahen eine Reihe weiterer Straftatbestände vor, die im Laufe der Jahre durch Durchführungsverordnungen ständig vermehrt wurden.

1936, als die Olympischen Spiele in Deutschland stattfanden, ordnete Hitler mit Rücksicht auf die Scharen ausländischer Besucher eine Mäßigung an; antijüdische Hetzparolen verschwanden für eine Weile aus der Öffentlichkeit. Doch trotz der scheinbaren Besserung der Verhältnisse endete das Jahr als eines der unglücklichsten in Regina van Sons Leben, denn am 3. Oktober starb ihr Ehemann. 30 Jahre lang hatten Hugo und Regina eine glückliche, von gemeinsamen Interessen erfüllte Ehe geführt. Von nun an war Regina allein auf sich selbst gestellt. In beständiger Sorge um ihre beiden Kinder lebend, meisterte sie ihre neue Lebenslage mit großer Disziplin, Kraft schöpfend aus ihrem unerschütterlichen Vertrauen auf Gott.

Zwei Jahre nach Hugo van Sons Tod entlud sich der zum Regierungsprogramm gewordene Judenhass wie nie zuvor. Zunächst traf er die jüdischen Einwohner Hamburgs mit polnischer Nationalität. Sie wohnten vorwiegend in Altona, der 1937 mit Hamburg vereinigten Nachbarstadt. Manche von ihnen hatten ihre Heimat schon vor Jahrzehnten verlassen, doch waren ihre Einbürgerungsanträge nicht selten am Ressentiment von Beamten gegenüber „polnischen Juden" gescheitert. Wurde die Einbürgerung verweigert, betraf sie auch hier geborene Ehefrauen und Kinder, weil deren Staatsangehörigkeit vom Status des Familienvaters abhing.

Eine von der polnischen Regierung angeordnete Passregelung[61] bot dem NS-Regime den Anlass zur Ver-

---

61 Mit Erlass vom 6.10.1938 hatte das polnische Innenministerium alle im Ausland lebenden polnischen Staatsangehörigen aufgefordert, ihre Pässe bis zum 30.10.1938 erneuern zu lassen. Wer der Aufforderung nicht nachkam, sollte das Recht auf eine Rückkehr nach Polen verlieren.

schleppung von rund 1000 Hamburger Juden polnischer Staatsangehörigkeit. Am 28.10.1938 wurden sie von Beamten der Ordnungspolizei und der Gestapo verhaftet, mit der Eisenbahn aus Hamburg deportiert und nahe der polnischen Stadt Zbaszyn auf brutale Weise über die deutsch-polnische Grenze getrieben. Hunderte fielen wenige Jahre später der „Endlösung“ zum Opfer.[62]

In der Nacht vom 9. auf den 10. November 1938 formierten sich in Hamburgs Zentrum Schlägertrupps der SA, um mit der Zerstörung der Geschäfte jüdischer Inhaber und jüdischer Einrichtungen zu beginnen. Am nächsten Morgen wurde das schaurige Ergebnis ihrer Vernichtungswut in der Innenstadt und anderen Stadtbezirken für jedermann sichtbar. An den folgenden Tagen brannte die Hauptsynagoge am Bornplatz, andere Synagogen wurden geschändet. Die Jagd der Gestapo auf rund 1000 jüdische Männer, die in ein KZ gebracht werden sollten, dauerte eine ganze Woche. Auch Regina van Son und ihr Sohn Manfred hörten genagelte Stiefel die Treppe herauftrampeln. Vor der Tür standen SS-Männer. Laut diskutierten sie über das Türschild „van Son“ und einigten sich schließlich darauf, dass es sich um eine

62 Hamburger jüdische Opfer des Nationalsozialismus. Gedenkbuch. Bearbeitet von Jürgen Sielemann unter Mitarbeit von Paul Flamme. Veröffentlichungen aus dem Staatsarchiv der Freien und Hansestadt Hamburg, Bd. XV. Hamburg 1995, S. XVII f.

Jüdische Deportierte in Zbaszyn

adelige Familie handeln müsse, nicht aber um Juden. Dann verschwanden sie.[63] Auch vor der verschlossenen Tür von Manfreds van Sons Klavierlehrer Martin Cobliner standen die Gestapo-Schergen. Als sie eindrangen, sprang er durch das Fenster im dritten Stock des Hauses Grindelallee 81 in den Tod.[64]

Die straflos verübten Morde, Zerstörungen, Plünderungen und Massenverhaftungen des „Reichskristallnacht" genannten Pogroms bewiesen in aller Deutlichkeit, dass das Regime auch vor den schlimmsten Verbrechen nicht zurückschreckte. Was half es, dass in der nichtjüdischen Hamburger Bevölkerung Scham über die Exzesse verbreitet war? Die hinter vorgehaltener Hand geäußerte Empörung vieler „Arier" reichte nicht einmal für einen zaghaften öffentlichen Protest. Ihr Unmut richtete sich weniger gegen eine Ausgrenzung der Juden, sondern gegen den zu Tage getretenen Vandalismus.[65]

Jetzt kam es für die Juden in Hamburg darauf an, die Heimat so schnell wie möglich zu verlassen, aber der Rettung in das Ausland standen turmhohe Hindernisse entgegen. Auch

---

63 Salomon van Son (wie Anm. 12), S. 105.

64 Jürgen Sielemann: Fragen und Antworten zur „Reichskristallnacht". In: Zeitschrift des Vereins für Hamburgische Geschichte. Bd. 83/1. Hamburg 1997, S. 497.

65 Frank Bajohr: Zwischen Wunschdenken und Realität. Die Berichte des britischen Generalkonsuls über die Judenverfolgung in Hamburg 1938/39. In: Stefanie Schüler-Springorum und Ina Lorenz (Hg.): Aus den Quellen. Beiträge zur deutsch-jüdischen Geschichte. Hamburg 2005, S. 328.

Staaten mit Verfassungen, in denen humanitäre Grundsätze groß geschrieben wurden, kontingentierten die Aufnahme von Juden oder verweigerten sie unter Hinweis auf hohe Arbeitslosenzahlen ganz. Der nervenaufreibende Kampf um Einreiseerlaubnisse galt in vorderster Linie der Rettung der Kinder. Ab Dezember 1938 verließen in Hamburg rund 1000 Mädchen und Jungen ihre Eltern, um im sicheren Ausland Aufnahme bei Gastfamilien oder in Heimen zu finden. Die von Hilfskomitees organisierten Kindertransporte führten vor allem nach England.

Angesichts des Grauens der „Reichskristallnacht" handelte Regina van Son sofort. Ihre Tochter Ilse befand sich aus beruflichen Gründen schon längst im Ausland, nicht aber ihr Sohn Manfred. Schon am ersten Tag des Pogroms telegrafierte Regina an ihre englischen Verwandten und bat sie mit den Worten „Save my son", Manfred sofort aufzunehmen.[66] Noch vor dem Ende des Jahres 1938 trat er die Reise nach London an. Seine Mutter sah er nie wieder.

Nach dem Pogrom vom November 1938 wurde der Terror gegen die jüdische Bevölkerung aufgrund einer Reihe infernalischer Bestimmungen ungehemmt fortgesetzt. Dazu zählten Verordnungen zur völligen Verbannung der Juden aus dem

---

66 Siehe S. 205.

Wirtschaftsleben, Wohn- und Ausgangsbeschränkungen, das Verbot zum Besuch von Theatern, Kinos und Konzerten. Ab Januar 1939 musste Regina van Son infolge einer Verordnung vom August 1938 ihrem Vornamen den Namen Sara hinzufügen, damit ihre „Eigenschaft als Jüdin" für jedermann erkennbar war; auch war sie gezwungen, ihren Pass abzugeben und hatte dafür eine „Kennkarte" mit einem großen aufgedruckten J in Empfang nehmen müssen. Die Reihe der von 1939 bis zu Regina van Sons Deportation „gesetzlich" verhängten Schikanen und Drangsalierungen war schier endlos. Um nur diese zu nennen: Verboten wurden die Benutzung von Verkehrsmitteln, der Bezug von Zeitungen, der Besitz eines Telefons und Radios, der Einkauf in den Geschäften „arischer" Eigentümer, die Haltung eines Haustiers. Goldschmuck und Edelsteine mussten abgegeben werden, Bankkonten wurden durch „Sicherungsanordnungen" der Devisenstelle gesperrt.[67] Als der Krieg begann, hatte die fast siebenjährige Herrschaft der Nationalsozialisten die in Hamburg verbliebenen Juden zu einer schutzlosen, verteufelten und in der Bevölkerung weithin verachteten Minderheit degradiert. Die Machthaber waren sich der Akzeptanz der „arischen" Hamburger offenbar bis zur letzten Konsequenz gewiss. Nicht anders ist es zu erklären, dass

---

67 Eine Übersicht bietet das Kapitel „Gesetzliche und Verwaltungsmaßnahmen gegen die Juden in Deutschland" in Leo Lippmanns Erinnerungsbuch „Mein Leben und meine amtliche Tätigkeit". Hamburg 1964, S. 669-702.

im „Hamburger Tageblatt“ vom 12. Februar 1942, als der Massenmord an den Juden längst begonnen hatte, der folgende Satz zu lesen war:

> *Wir in Deutschland, besonders wir Großstädter, haben das Judentum in Reinkultur genossen, und wir sind froh, dass die jüdische Pest durch den Nationalsozialismus ausgerottet wurde.*

Die Menschen, deren Ermordung hier begrüßt wurde, waren in Hamburg seit dem 19. September 1941 an einem Stern aus gelbem Stoff zu erkennen. In der von Dr. Plaut unterzeichneten Bekanntmachung des Jüdischen Religionsverbandes hieß es:

> *Die Kennzeichen sind etwa in Herzhöhe auf dem Kleidungsstück fest aufgenäht jederzeit sichtbar zu tragen. Jede Verdeckung des Kennzeichens ist unzulässig. Die Kennzeichen sind sorgfältig zu behandeln, da die Ersatzbeschaffung Schwierigkeiten bereitet. Verstöße gegen die Verordnung sowie gegen diese behördlich eröffneten Richtlinien werden regelmäßig mit Schutzhaft geahndet.*[68]

---

68 StH, 362-6/10 Talmud-Tora-Schule, 75, Bl. 713.

Der Schlussakt der Judenverfolgung in Hamburg

Regina van Sons ältester Brief datiert vom 8. Oktober 1941. Nichts darin signalisierte den Verwandten eine akute Gefahr. Regina und ihre Hamburger Leidensgenossen wussten nicht, dass die Vorbereitungen zum letzten, tödlichen Akt der Judenverfolgung in Hamburg bereits begonnen hatten. Ihre Befürchtungen richteten sich vermutlich vor allem auf die Endphase des Krieges. Was würde den Juden geschehen, wenn Hitler den Krieg gewann, und was war zu erwarten, wenn er ihn zu verlieren drohte? Und dennoch: Die Hoffnung, gerettet zu werden, blieb; nicht alle Drohungen der Verfolger waren in der Vergangenheit verwirklicht worden. So hatte die Hamburger Gestapo dem Leiter der Hamburger Jüdischen Gemeinde im Sommer 1939 für den Fall eines Kriegsausbruchs „außerordentliche Maßnahmen" angekündigt, nämlich die Einweisung aller Juden in „Konzentrations- und Arbeitslager".[69] Dazu war es nicht gekommen. Auch hatte die Gestapo bisher kein Auswanderungsverbot verhängt, wenngleich es inzwischen faktisch unmöglich geworden war,

---

69 Dr. Max Plaut: Die Juden in Deutschland von 1939 bis 1941. StH, 622-1 Familie Plaut, D 39/3.

das Land zu verlassen. Nichts deutete an jenem 8. Oktober 1941, an dem Regina van Son an ihre Verwandten schrieb, in Hamburg auf eine Verschärfung der Lage hin.
Zwei Tage später präsentierte der „Völkische Beobachter" seinen Lesern eine triumphale Nachricht: *„Die große Stunde hat geschlagen. Der Feldzug im Osten ist entschieden!"*. Russland sei infolge der Vernichtung der Heeresgruppe Timoschenko „erledigt". Der Reichspressechef hatte das große Ereignis vor in- und ausländischen Journalisten offiziell verkündet; ein Irrtum war demnach ausgeschlossen.[70] Zum Beweis der grandiosen Wehrmachtserfolge rollten erbeutete sowjetische Panzer durch deutsche Städte. Auch in Hamburg drängten sich Schaulustige an den Straßenrändern, um den Zug der stählernen Ungetüme zu verfolgen. Gab es noch einen Zweifel an der Unbezwingbarkeit der deutschen Wehrmacht?
Die Meldung von der Niederwerfung Russlands – eine der krassesten amtlichen Falschmeldungen des Zweiten Weltkriegs – löste in der Bevölkerung Begeisterung aus. Hatten die Schlachten an der Ostfront ein Ende, so waren der Sieg über England und das Finale des gesamten Krieges nur noch eine Frage der Zeit. Die Aussicht auf den baldigen „Endsieg" wurde nicht zuletzt in Hamburg mit tiefer Erleichterung begrüßt. Seit 1940 war die Millionenstadt

---

70 Ralf Georg Reuth (Hg.): Joseph Goebbels. Tagebücher 1924-1945. Bd. 4. München 1992, S. 1682 f.

von über 100 Luftangriffen betroffen worden; mehr als 700 Menschen hatten dabei ihr Leben verloren. Längst gehörten Trümmerberge zum gewohnten Anblick. In den Zeitungen häuften sich die Todesanzeigen für gefallene Soldaten. Kriegsbedingte Einschränkungen machten sich im Alltagsleben immer schwerwiegender bemerkbar.
Wer war für die schlimme Lage verantwortlich? Die überwältigende Mehrheit der Deutschen suchte die Schuld weder bei Hitler noch bei sich selbst. Schuld an allem waren Deutschlands Feinde, und in ihren Reihen standen – wie seit Jahren immer wieder verkündet wurde – die Juden. Nicht gerade jene, die man selber kannte, aber gewiss alle anderen. Jeden Tag war Neues über ihren teuflischen Charakter zu lesen und zu hören. Man ließ sich die bösartigen Lügen gern einreden, denn sie verjagten alle quälenden Gedanken und Zweifel an der Rechtmäßigkeit der Regierungsmaßnahmen. Eigene Analysen konnten zu gefährlichen Schlussfolgerungen führen, und wie die Gestapo mit Menschen verfuhr, die laut zu denken wagten, war bekannt.
Zum Zeitpunkt der Meldung, dass der Feldzug im Osten entschieden sei, war die Deportation der in Deutschland verbliebenen 164 000 Juden in den Tod bereits beschlossen.[71]
Schon Monate davor, nach dem Beginn des Massenmords

---

71 Wolfgang Benz (Hg.), wie Anm. 41, S. 733.

der Einsatzgruppen an der jüdischen Bevölkerung Russlands, hatten Goebbels und andere Paladine des Nazi-Reichs wiederholt gefordert, die Juden aus Deutschland „in den Osten abzuschieben". Doch war Hitler noch am 13. September anderer Ansicht gewesen – daran sei erst nach dem Ende des Krieges, frühestens aber nach dem Abschluss des Ostfeldzugs zu denken. Wenige Tage später änderte er seinen Standpunkt. Am 18. September verkündete Heinrich Himmler den Wunsch des Diktators, dass Deutschland möglichst bald von allen Juden „geleert und befreit" werde.[72] Hitler hatte sich umstimmen lassen, woran der Hamburger Gauleiter und Reichsstatthalter Karl Kaufmann wahrscheinlich erhebliche Mitschuld trug. In einem Brief an Hermann Göring berichtete Kaufmann ein Jahr später, er sei im September 1941 „nach einem schweren Luftangriff an den Führer herangetreten mit der Bitte, die Juden evakuieren zu lassen"; ihre Wohnungen sollten Bombengeschädigten zur Verfügung gestellt werden. Damals lebten noch 7500 Juden in Hamburg.[73] „Der Führer", fuhr Kaufmann mit Genugtuung fort, „hat unverzüglich meiner Anregung entsprochen und

---

72 Philippe Burrin: Hitler und die Juden. Die Entscheidung über den Völkermord. Frankfurt a.M. 1993, S. 142. Burrin datiert Hitlers Bekanntgabe seiner Entscheidung an Himmler auf den 18. September, hält aber auch den Abend des Vortages für nicht ausgeschlossen.

73 Leo Lippmann: „... daß ich wie ein guter Deutscher empfinde und handele." Zur Geschichte der Deutsch-Israelitischen Gemeinde in Hamburg in der Zeit vom Herbst 1935 bis zum Ende 1942. Hamburg 1995, S. 74.

die entsprechenden Befehle erteilt."[74] Geschah dies zwischen dem 13. und 18. September 1941 – in jenen Tagen, als Hitlers Entscheidung über die sofortige Deportation der Juden aus Deutschland fiel? Im September 1941 waren drei Bombenangriffe auf Hamburg geflogen worden – der schwerste am 15. und zwei weitere am 29. und 30.9.[75] Falls Kaufmann aufgrund des Großangriffs vom 15. September an Hitler herantrat (was am wahrscheinlichsten ist), so besteht der dringende Verdacht, dass der Vorstoß des Hamburger Gauleiters den Sinneswandel des Diktators bewirkt und ihn zum Befehl der Deportation der Juden aus Deutschland veranlasst haben könnte. Zum Zielort der ersten Transporte wurde noch im selben Monat ein abgesperrtes Gelände in Lodz bestimmt – das „Ghetto Litzmannstadt".[76]

Lodz, die Großstadt im annektierten Westpolen – dem neuen „Reichsgau Wartheland" – trug seit 1940 den Namen des deutschen Generals Karl Litzmann, eines nazitreuen Offiziers, der die Stadt im Ersten Weltkrieg erobert hatte. „Litzmannstadt" wurde kurze Zeit nach der Annexion zu

---

74 Schreiben von Kaufmann an Göring vom 4.9.1942. National Archives, Washington, Miscellaneous German Records Collection, T 87 No. 7.

75 Hans Brunswig: Feuersturm über Hamburg. Hamburg 1987, S. 452.

76 Am 30.9.1941 wurde dem Leiter der jüdischen Gemeinde in Wien mitgeteilt, dass mit „Rücksicht auf die durch die Fliegerangriffe notwendig gewordene anderweitige Unterbringung der arischen Bevölkerung ein Teil der Juden aus dem Altreich, dem Protektorat und aus Wien nach Litzmannstadt" gebracht werden sollte. Vgl. Hans Safrian: Die Eichmann-Männer. Wien 1993, S. 120.

Hamburgs Patenstadt erklärt.[77] Bis zum Überfall der deutschen Truppen auf Polen hatte der Bevölkerungsanteil der Juden in Lodz mehr als ein Drittel betragen. Der Terror gegen die jüdische Einwohnerschaft begann unmittelbar nach der Besetzung der Stadt. Im April 1940 wurde das Gelände für ein Zwangsghetto abgesteckt, in dem zunächst 164 000 Jüdinnen und Juden aus Lodz unter qualvollen Bedingungen vegetieren mussten. Dorthin sollte jetzt der erste Transport von jüdischen Männern, Frauen und Kindern aus Hamburg geführt werden. Als weitere Deportationsziele wurden am 10. Oktober 1941 Minsk und Riga festgelegt.[78]

Wann erreichte die Nachricht von den bevorstehenden Deportationen die Jüdische Gemeinde in Hamburg? Ihr damaliger Leiter Dr. Max Plaut hat darüber berichtet:

> *Am 15. Oktober 1941 war durch die Jüdische Gemeinde in Köln bekannt geworden, dass im Laufe des Monats Oktober 20 000 Juden aus Deutschland nach Litzmannstadt (Lodz) evakuiert werden sollten. Eine sofortige Anfrage bei der Hamburger Gestapo wurde negativ beantwortet: „Hier ist nichts angeordnet". Am 17.10. wurde der Schreiber [d.h. Dr. Plaut]*

---

77 Berichte über Hamburgs Patenschaft für Litzmannstadt finden sich im „Hamburger Anzeiger" vom 25.2.1943 und 21.5.1943.

78 Avner W. Less (Hrsg.): Schuldig. Das Urteil gegen Adolf Eichmann. Frankfurt a.M. 1987, S. 116.

telefonisch zur Gestapo gerufen, wo ihm der Leiter des Judenreferats, Kommissar Göttsche, erklärte: „Nächste Woche werden 1000 Juden nach Litzmannstadt evakuiert.“ [79]

Göttsches Auskunft vom 15. Oktober, eine Deportation von Juden sei in Hamburg nicht angeordnet, entsprach nicht der Wahrheit, denn die Vorbereitungen der Gestapo für den Transport von über 1000 Menschen nach Lodz liefen bereits auf Hochtouren. Dazu gehörte auch die „karteimäßige Abwicklung“: Die Hamburger Adressen der zur Deportation nach Lodz bestimmten Jüdinnen und Juden wurden in einer Kartei des Judenreferats mit dem Datum 15. Oktober 1941 versehen,[80] und ebenfalls „Mitte Oktober 1941“ hatte die Jüdische Gemeinde in Hamburg die genaue Zahl der jüdischen Einwohner Hamburgs zu ermitteln.[81] Wenn es den Gestapobeamten gefiel, durften ihre Opfer unbedenklich belogen werden. Je später die „Aktion“ bekannt wurde, desto weniger Zeit blieb den Betroffenen für unerwünschte Reaktionen. Claus Göttsche war emsig bemüht, den Deportationstransport so reibungslos wie möglich durchzuführen. Auf Dr. Plauts Frage, welche Personen nach Lodz

---

79 Staatsarchiv Hamburg (Hg.): Gedenkbuch für die jüdischen Opfer des Nationalsozialismus in Hamburg. Hamburg 1965, S. XI.
80 StH, 314-15 Oberfinanzpräsident, 44 U.A. 3.
81 Leo Lippmann, wie Anm. 73, S. 74.

deportiert werden sollten, antwortete er, „zunächst sollten alle Juden, die aus den bis 1918 zu Deutschland gehörigen Teilen des Altreichs stammten, alle naturalisierten Ostjuden, alle staatenlosen Juden sowie alle bei der Gestapo aus irgendeinem Grunde ‚missliebigen' Juden mit ihren Familien drankommen".[82] Am 21. Oktober war die 1034 Namen zählende Gestapoliste für den Deportationstransport nach Lodz fertig gestellt und vervielfältigt.[83] Sie wurde mit folgender Vorbemerkung versehen:

Betrifft: Evakuierung der Juden aus Hamburg

Namentliche Liste

der eintausend Juden, die am 25.10.1941 aus Hamburg nach Litzmannstadt evakuiert wurden. In der Liste sind als Nachtrag zweihundert Juden aufgeführt, die für eventuelle Ausfälle in Reserve gehalten werden. Die Namen der Juden, die nicht mit dem Transportzug kommen, werden durchstrichen. Der Zug fährt am 25.10.1941 um 10.10 Uhr ab Hamburg,

---

82 StH, wie Anm. 79, S. XI. Mit den „bis 1918 zu Deutschland gehörigen Teilen des Altreichs" waren offenbar die nach dem Versailler Vertrag verlorenen Gebietsteile gemeint. Die von Göttsche genannten Kriterien wurden in keiner Weise eingehalten.

83 Staatsarchiv Hamburg, 522-1 Jüdische Gemeinden, 992 e 2 Bd. 1.

Hannöverscher Bahnhof, und soll fahrplanmäßig am 26.10.1941 um 11 Uhr in Litzmannstadt eintreffen. Falls bei der früheren Wohnadresse kein Ortsname genannt ist, ist Hamburg Wohnort.[84] *Die Abkürzungen bei der Staatsangehörigkeit bedeuten: D.R. = Deutsches Reich, St. = staatenlos, P. = Polen, Pr. = Protektorat Böhmen und Mähren. Den Juden ist die Kennkarte und, soweit vorhanden, Arbeitsbuch und Reisepass belassen worden. Diese Papiere sind mit einem Stempelaufdruck versehen, aus dem die Evakuierung zu ersehen ist.*
I.A.

Göttsche

Claus Göttsche, der Leiter des Judenreferats der Hamburger Gestapo, hatte damit eine erste Probe seines Mordwerks als Deporteur abgelegt. Bis zum Sommer 1944 organisierte er noch 14 weitere Deportationstransporte aus Hamburg, mit denen über 5000 Menschen in den Tod fuhren. Als der gefürchtete „Herr Göttsche" herrschte er mit unumschränkter Macht über Hamburgs Juden. Gesunde und Kranke, Kleinkinder und Greise, Schwangere und Träger von Körperprothesen – sie alle kamen auf Göttsches Transportlisten. Auch Regina

84 Den Deportationstransporten der Gestapo wurden in Hamburg vereinzelt auch Juden aus anderen Orten angeschlossen.

Claus Göttsche als Ordnungspolizist (links) und als Judenreferent der Hamburger Gestapo

van Son zählte zu den Opfern dieses Schreibtischmörders, und es ist notwendig, mehr als nur seinen Namen zu kennen.

Claus Göttsche wurde 1899 in Aasbüttel, einem Dorf im schleswig-holsteinischen Kreis Rendsburg, als Sohn eines Schuhmachers geboren. Nach dem Besuch der dortigen Volksschule arbeitete er in der Landwirtschaft, wurde 1917 zum Militär eingezogen und erlitt gegen Ende des Ersten Weltkriegs in Frankreich eine Kriegsverletzung. 1921 trat er in die Hamburger Ordnungspolizei ein und wechselte 1932 als Sekretär in die Verwaltung der Polizeibehörde. Seine Tätigkeit als Gestapobeamter begann am 1. April 1933. Einen Monat später trat er in die NSDAP ein und erklomm rasch die Karriereleiter. 1937 wurde er zum Inspektor und zwei Jahre später zum Oberinspektor befördert. Im Mai 1941 erfolgte seine Ernennung zum Kriminalkommissar.[85] Göttsches Herkunft aus dem Polizeiapparat der Weimarer Republik war keine Ausnahme, sondern entsprach der Norm der Rekrutierung des Gestapopersonals und liefert in keiner Weise den Schlüssel zur Verbrechernatur des Mannes, der am Untergang der Juden in Hamburg unermesslich große Schuld trug.[86] Er konnte dafür nicht zur Rechenschaft gezogen werden – am 12. Mai 1945, im Augenblick seiner

---

85 StH, 131-11 Personalamt, LN 413.
86 Gerhard Paul, wie Anm. 52, S. 70.

Verhaftung durch britische Militärpolizisten, zerbiss er eine Zyankalikapsel. Um sein Wesen wenigstens ansatzweise zu erfassen, sind wir auf die schriftlichen Zeugnisse seiner Tätigkeit und auf Berichte von Menschen angewiesen, die ihn kannten. Aus beidem ergibt sich das Bild eines mitleidlosen Bürokraten, der stets um „Korrektheit" bemüht war und nicht dazu neigte, seine Opfer eigenhändig zu misshandeln; derartiges überließ er seinen Folterknechten. Noch Jahrzehnte später erinnerte sich Dr. Plaut mit Grauen an einen Tag, an dem er wieder einmal Zeuge schwerster Misshandlungen geworden war und Göttsche deshalb Vorhaltungen gemacht hatte. Göttsches Antwort: „Kommen Sie mir nie wieder mit so etwas! Das können Sie sich doch denken, dass ich als Chef niemals für einen Juden etwas machen kann, der von einem anderen Beamten misshandelt wird. Ich muss immer auf den Beamten hören, und ich kann niemals auf den Juden hören. Also, ich will nichts gehört haben!" Indessen hat Dr. Plaut mehrfach betont, dass Göttsche sich verschiedentlich konziliant zeigte, wenn er bei ihm vorstellig wurde.[87] Damit wurde eine Legende vom „Gutmenschen" Göttsche gefördert, die der Verfasser dieser Einführung in vielen Jahren nicht selten zu hören bekam. Wer war dieser Mann? Wie war es möglich, dass der einst unscheinbare Polizist zum monströsen Verbrecher mutierte? Vor einigen Jahren gelang es dem

---

87 Institut für die Geschichte der deutschen Juden, wie Anm. 59.

Verfasser, eine enge Mitarbeiterin Göttsches zu zwei ausführlichen Interviews zu bewegen. Wie kaum anders zu erwarten war, zeichnete sie ein positives Bild ihres einstigen Chefs:

> *Von 1935 bis 1943 arbeitete ich als seine Sekretärin. Vertretungsweise habe ich auch für Streckenbach geschrieben.*[88] *Über Göttsches Tätigkeit von 1933 bis 1935 weiß ich nur, dass er mit dem beschlagnahmten Vermögen der SPD befasst war; er hatte die Liquidierung dieses Vermögens abzuwickeln. Dabei bewährte er sich so gut, dass man ihn anschließend beförderte. 1935 wurde Göttsche mit der Leitung des Referats „Juden, Freimaurer, Logen" beauftragt. Zu diesem Zeitpunkt wurde ich ihm als Sekretärin zugewiesen. Er galt innerhalb der Hamburger Gestapo als Experte für Judenangelegenheiten und besaß eine recht unabhängige Stellung; man hörte auf ihn. Zur Rückversicherung bei seinen Vorgesetzten neigte er nicht. Nach seiner Auffassung war es notwendig, die Juden von der übrigen Bevölkerung zu trennen; diesem Ziel galt seine Arbeit. Die Tötung der Juden beabsichtigte er nicht. Charakteristisch für ihn waren seine Unbestechlichkeit*

---

88 Bruno Streckenbach, 1933-1939 Leiter der Hamburger Gestapo, danach Amtschef im Reichssicherheitshauptamt, war maßgeblich mit der Aufstellung der SS-Einsatzgruppen befasst. Vgl. Ludwig Eiber: Unter Führung des NSDAP-Gauleiters. Die Hamburger Staatspolizei (1933-1937). In: Gerhard Paul/Klaus-Michael Mallmann (Hrsg.): Die Gestapo – Mythos und Realität. Darmstadt 1995, S. 105 f.

und Gesetzestreue. Dass er bereit war, Ausnahmen zu machen – z.B. die Befreiung aus der Haft oder die Zurückstellung einzelner Juden von der Deportation – kann ich mir nicht denken. Dr. Plaut, der ihn häufig besuchte, hat nichts auszustehen gehabt. Göttsche war auch für die Zeugen Jehovas zuständig. Mit ihnen wurde unsanft umgegangen.

Unschwer war zu erkennen, dass Göttsches Sekretärin trotz scheinbarer Auskunftsfreudigkeit ihren eigenen Schutz nie aus den Augen verlor, vor allem dann nicht, wenn das Gespräch „die Tötung der Juden" berührte. Je länger die Unterhaltung dauerte, desto lobendere Worte fand sie für ihren einstigen Chef:

Claus Göttsche, ein Mann von kompakter Statur und gelichtetem Haarwuchs, war sehr intelligent, fleißig, hilfsbereit, außerordentlich korrekt und bescheiden. Niemals verstieß er gegen seine Richtlinien und liebte es nicht, sich hervorzutun. Seine Ausdrucksweise war schlicht und manchmal etwas unbeholfen, jedenfalls neigte er nicht zu eleganten Formulierungen. Einmal äußerte er sich resigniert über seinen Mangel an Allgemeinbildung. Der Umgang mit ihm war angenehm; seinen Untergebenen begegnete er als jovialer, verständnisvoller Vorgesetzter. Als rechtlich denkender Mensch, der er war, hat er sein Schicksal keinesfalls verdient. Bedauerlicherweise passte seine Frau überhaupt nicht zu ihm, sie war sehr einfach und ihm nicht gewachsen.[89]

Um Claus Göttsches wahrem Wesen näher zu kommen, folgt ein Bericht, den der Verfasser von Herrn Kurt F. aus Hamburg erhielt. Als Sohn eines „Volljuden“ und einer „arischen“ Mutter galt Herr F. in der NS-Zeit als „Mischling 1. Grades“. Nach den schweren Bombenangriffen vom Sommer 1943 war die Familie unabgemeldet aus Hamburg verzogen, kehrte jedoch wenige Monate später wieder nach Hamburg zurück. Hier bestand zunächst die Notwendigkeit, den „Status des Vaters“ zu klären, um wieder in den Besitz von Lebensmittelmarken zu gelangen. Im Bewusstsein, monatelang illegal von Hamburg ferngeblieben zu sein, entschloss sich der Vater, den allgewaltigen „Herrn Göttsche“ aufzusuchen. Sein damals 16jähriger Sohn begleitete ihn und wartete zunächst vor der Tür, während sein Vater mit Göttsche verhandelte. Nach einiger Zeit hörte er Göttsches wütendes Gebrüll; er warf dem Vater vor, monatelang untergetaucht zu sein. Kurt F. betrat das Zimmer, sah seinen Vater vor Claus Göttsche auf den Knien liegen und hörte ihn ru-

89 Göttsches Ehe mit einer Haushälterin, die zur gleichen Zeit wie er selbst die Volksschule absolviert hatte, blieb kinderlos, was für ihn als SS-Angehöriger einen Makel bedeutete.

fen: „Verschonen Sie meine Familie!“ Göttsche schrie: „Sie haben sogar noch ein Kind von einem Jahr? Wissen Sie denn nicht, was in Polen passiert? Die werden doch alle umgebracht!“ Schaudernd erinnerte sich Herr Kurt F. an die „kalten Fischaugen“, mit denen Göttsche ihn damals fixierte.

Claus Göttsche, der Herr über das Schicksal der Hamburger Juden, war bemüht, seine Arbeit „reibungslos“ durchzuführen. Dazu gehörten hin und wieder kleine Konzessionen an Dr. Plaut und andere Repräsentanten der Jüdischen Gemeinde in Hamburg, auf deren „Funktionieren“ als Gemeindeleiter er nicht verzichten wollte. So galt er bei einigen als jemand, „mit dem man reden konnte“, und eben daran war ihm gelegen. In schroffem Gegensatz zu Göttsches vermeintlicher Aufgeschlossenheit für einzelne Anliegen stand sein herrisches Auftreten als hyperkorrekter Bürokrat, der nichts als den „Befehl“ gelten ließ und sich als vollkommen unbestechlich darstellte. Sein Weg vom kleinen Straßenpolizisten zum Referatsleiter der Gestapo erfüllte ihn mit Stolz. Der nationalsozialistischen Sache fühlte er sich tief verpflichtet, denn ihr verdankte er seinen Aufstieg. Als einzige Maxime galten ihm Befehl und Gehorsam. Menschliches Mitgefühl gegenüber Juden hielt er für ein Zeichen von Schwäche und Befehlsverweigerung. Gestapobeamte, die Milde zeigten, wurden im Amt als „Weihnachtsmänner“ tituliert und konnten ihre Hoffnung auf eine Beförderung begraben.

Am 21. Oktober 1941 wurden Göttsches Deportationsbefehle an 1034 Empfänger und Empfängerinnen verschickt. Beigefügt waren eine Anordnung über die Beschlagnahmung des Eigentums der Betroffenen, ein achtseitiges Formular mit dem Titel „Vermögenserklärung“ und eine „Reiseliste“, in der aufgeführt war, welche Gegenstände mitgenommen werden durften.

Einen Tag vor der Abfahrt des Zuges mussten die Betroffenen mit dem erlaubten Gepäck an den befohlenen Sammelstellen erscheinen. Für die ersten vier Transporte war das Logenhaus, Moorweidenstraße 36, dieser Ort. Als Sammelstelle für die Transporte des Jahres 1942 nach Theresienstadt diente die Schule Schanzenstraße 120. Dorthin hatte am 14. Juli 1942 auch Regina van Son zu gehen.

An den Sammelstellen wurden die Empfänger der Deportationsbefehle von der Gestapo und von Beamten der „Vermögensverwertungsstelle“ des Oberfinanzpräsidenten erwartet. An langen Tischen begann die Kontrolle der Vermögenserklärungen. Berthie Philipp, eine Überlebende des Transports, dem Regina van Son angehörte, hat darüber berichtet:[90]

---

90 StH, 221-11 Staatskommissar für die Entnazifizierung und Kategorisierung, 54766, darin: Zeitungsartikel „Der Transport“, o.D..

Auf dem freien Platz inmitten des Gartens des Warburgstiftes [Bundesstraße 43] hielt an einem Frühmorgen ein Lastkraftwagen mit Anhänger vor dem Eingang des Hauses. Mit streng zusammengepressten Lippen und harten Zügen waren mehrere Leute damit beschäftigt, Männer und Frauen auf den Anhänger zu heben. Viele Neugierige, die eben des Weges kamen, blieben stehen und umgaben bald in einem großen Kreis das Tor des Gartens; immer wieder versuchten sie es zu öffnen, wurden aber von zwei dort Posten stehenden Schupobeamten zurückgestoßen. Sobald die Schutzleute den Rücken kehrten, schlüpften Zuschauer durchs Tor und drängten und schoben sich dicht an den Wagen heran. Von hier ließen sie sich nicht mehr fortjagen, denn sie trachteten danach, aus nächster Nähe gierig das ungewohnte Schauspiel zu genießen, das ihnen ratlos erstarrte und hilflos verängstigte Menschen boten. [...] Aus der Haustür kamen weitere zum Abtransport gerüstete Insassen des Stiftes. Sie schritten mit gesenkten Köpfen wie Verurteilte zum Schafott daher und ließen sich wie Automaten auf den Wagen heben. [...] Der Lastkraftwagen schwankte durch die Straße und fuhr mit rasender Eile über Plätze und Wege [...] [bis zum] Schulgebäude. Hier hielten bereits andere leere Wagen. [...] Dieser Ort war ein Sammellager zur letzten Visitation. In einigen Zimmern waren lange, breite Tische aufgestellt, hinter denen die Beamten der

Gestapo saßen.

Am Abend wurden „ungefähr 50 Personen zugleich in einen Raum geführt, der 25 obere und 25 untere Betten aufwies. Einfache Holzbetten, ohne irgendeine Matratze. Es war die Unterbringung für die kommende Nacht."

Den Menschen, deren Deportation nach Lodz, Minsk und Riga angeordnet war, spiegelte die Gestapo vor, dass sie ein Arbeitseinsatz erwarte und sie an den Zielorten der Transporte siedeln würden. Die Mitnahme von Handwerkszeug und Schulbüchern war deshalb erlaubt. Theresienstadt stellte die Gestapo den Hamburger Juden als „Musterghetto" vor, das besonders der Altenpflege gewidmet war. Mit alten Menschen wurden deshalb förmliche „Heimeinkaufsverträge" geschlossen, was nicht nur den gänzlichen Verlust ihrer Ersparnisse, sondern zugleich ihr Todesurteil bedeutete.

Eine Woche nach dem ersten Deportationstransport erhielt Karl Kaufmann in seinem Urlaubsort in Garmisch-Partenkirchen Post von einem Hamburger Freund, dem Höheren SS- und Polizeiführer Rudolf Querner:

Lieber Karl!

[...] Der nächste Judentransport, der eigentlich morgen abgehen sollte, ist wegen Materialknappheit um 8 Tage verschoben worden. Für uns ganz günstig, da wir etwas mehr Zeit für Vorbereitungen haben.[91]

Als dann am 8. November 1941 968 Jüdinnen und Juden vor dem Logenhaus auf der Moorweide auf Lastwagen getrieben wurden, gingen sie durch ein Spalier höhnisch klatschender Zuschauer.[92] Die Deportationen fanden entgegen anders lautenden Behauptungen nicht im Geheimen, sondern in aller Öffentlichkeit statt.

Der Umgang mit dem beschlagnahmten Eigentum der Deportierten gehört zu den beschämendsten Kapiteln der Hamburger NS-Zeit. Der Oberfinanzpräsident hatte dafür eigens eine neue Abteilung, die bereits erwähnte „Vermögensverwertungsstelle", eingerichtet.[93] Ihre Beamten waren

---

91 Bundesarchiv Koblenz, Kleine Erwerbungen, 521 Bd. 1, Bl. 390. Der Verf. verdankt diesen Quellenhinweis Frank Bajohr. Siehe auch Frank Bajohr: „... dann bitte keine Gefühlsduseleien." Die Hamburger und die Deportationen. In: Bajohr, Eder, Lorenz, Meyer, Stapelfeld: Die Deportationen der Hamburger Juden 1941-1945. Hamburg 2002, S. 19.

92 Frank Bajohr: Als die Deportationen begannen. In: Hamburger Abendblatt vom 26.10.2001, S. 17.

93 Vgl. Armin Wirtz: Die Vermögensverwertungsstelle beim Oberfinanzpräsidenten in Hamburg. In: Verfolgung und Verwaltung. Beiträge zur Hamburger Finanzverwaltung 1933-1945. Hamburg 2003, S.29-38.

nicht nur an den genannten Sammelstellen anwesend, sondern drangen anschließend in die verlassenen Wohnungen der deportierten Juden ein und verglichen die bei den Deportationen eingesammelten Vermögenserklärungen mit dem vorgefundenen Inventar.[94] Bevor die Möbel, Textilien, Bücher, Bilder und sonstigen verwertbaren Gegenstände „zu Gunsten des Reiches" öffentlich versteigert wurden, zweigten die Sozialverwaltung und andere Behörden, darunter auch die Finanzverwaltung selbst, große Mengen für den eigenen Bedarf ab. Die Versteigerungen wurden in den Zeitungen angekündigt, waren stadtbekannt und lockten Tausende Interessenten an. Teilweise fanden sie nicht in den Auktionshäusern statt, sondern auch in jüdischen Stiften und großen Wohngebäuden.[95]

Die Gestapo war, wie bereits festgestellt wurde, emsig bemüht, ihre Opfer im Unklaren über den wahren Zweck der Deportationen zu lassen und zwang Dr. Plaut schon nach dem ersten Transport, energisch gegen Gerüchte vorzugehen. In seiner Bekanntmachung Nr. 70 an die Hamburger Juden vom 3.11.1941 heißt es:

---

94 Armin Wirtz, wie Anm. 93, S. 32 ff.
95 StH, 314-15 Oberfinanzpräsident, 23, Bl. 148.

Wiederholt ist von dem Vorstand des Jüdischen Religionsverbandes Hamburg e.V. dringend davor gewarnt worden, Gerüchten Glauben zu schenken. [...] In den letzten Tagen sind anlässlich der Verschiebung der Evakuierungstransporte wiederum von Juden völlig unbegründete Gerüchte weitergegeben worden. [...] Wir werden solche Personen im Interesse aller übrigen Juden Hamburgs zur Verantwortung ziehen.[96]

In welchem Umfang der Gestapo die Täuschung gelang, ist nicht abzuschätzen. Fest steht dagegen, dass sich in der Zeit der Deportationen über 190 Jüdinnen und Juden in Hamburg das Leben nahmen. In einem Schreiben des Judenreferenten Claus Göttsche an die Vermögensverwertungsstelle vom 4. November 1942 wird die ganze Rohheit des Schreibtischmörders sichtbar:[97]

Betrifft: Einziehung von Vermögenswerten.

Die in der anliegenden Liste aufgeführten Juden haben Selbstmord begangen, nachdem ihnen [ein] Evakuierungsbefehl zugestellt worden ist. Demnach unterliegt

---

96 StH, 362-6/10 Talmud-Tora-Schule, 75, S. 709.
97 StH, wie Anm. 95, Bl. 275.

das Eigentum der Genannten der Beschlagnahme und Einziehung zu Gunsten des Deutschen Reiches.

Die anliegende Liste umfasst vier Seiten mit 52 Namen.

Mit dem sechsten Transport vom 15. Juli 1942 deportierte das Judenreferat der Hamburger Gestapo 926 Menschen nach Theresienstadt, unter ihnen auch Regina van Son. In ihrem Abschiedsbrief vom 13. Juli bemühte sie sich, die Verwandten mit den ihr zugetragenen Nachrichten zu beruhigen. Theresienstadt sei eine wunderschöne saubere Stadt in einer sehr gesunden Gegend; alles werde ein gutes Ende nehmen:

> *„Ich bin wirklich guten Mutes, ich tue nicht nur so, das versichere ich Euch; ja, wobei soll ich es Euch versichern? Also – so wahr wie ich an ein Wiedersehen mit Euch allen, meine Geliebten, glaube, so wohl und fröhlich ist mir zumut."*

Was Göttsche und Gehilfen ihren Opfern als „Musterghetto Theresienstadt" und „Altersheim" vorgestellt hatten, war in der Wirklichkeit ein Konzentrationslager, in dem die „Endlösung" vollzogen wurde. Hunger, Erschöpfung und unbehandelte Krankheiten forderten dort über 30 000 Menschenleben; nahezu 90 000 Menschen wurden aus Theresienstadt in „Osttransporten" nach Auschwitz, Treblinka und in andere Stätten der nationalsozialistischen Mordmaschinerie gebracht.[98]

Als Regina van Son am 16. Juli 1942 in Theresienstadt eintraf, vegetierten dort über 53 000 Menschen; täglich wurden 150 Tote registriert. Die Lebensbedingungen im „Musterghetto" waren nichts anderes als Sterbensbedingungen.[99] Zu Regina van Son kam der Tod in Theresienstadt am 7. Dezember 1942.

---

98 Institut Theresienstädter Initiative (Hg.): Theresienstädter Gedenkbuch. Prag 2000, S. 89; Israel Gutman (Hauptherausgeber): Enzyklopädie des Holocaust. Die Verfolgung und Ermordung der deutschen Juden. Bd. III, München, Zürich 1995, S. 1406.

99 Ein Wort des Theresienstadt-Überlebenden Hans Günther Adler (H.G. Adler: Der verwaltete Mensch. Studien zur Deportation der Juden aus Deutschland. Tübingen 1974, S. 195).

Familie van Son in der Hansastr. 38, Januar 1928

v.l.: Regina, Herbert, Manfred, Hugo und Ilse

Regina van Son auf dem Weg zu einer Hochzeitsfeier, 1938

Regina van Son

Die Briefe

1

Absenderin: Regina van Son, Hamburg
Empfänger: Ihr Neffe Herbert N. Kruskal[1] *und dessen Ehefrau Edda geb. Gradenwitz, Scheveningen*

8.10.41

Meine Lieben alle!

Mit Eurem Brief vom 28.9. freute ich mich sehr. Inzwischen hatte ich zwei Briefe von Manfred.[2] Die Aufführung der Kinder[3] klappte gut, und sie waren ein paar Tage später bei Anna Schwab[4] zum Mittagessen eingeladen und gingen nachher ins Theater, alle 25, und Fränze[5] und das Personal auch. Besonders der Chor machte M.[anfred] Freude. *[An dieser Stelle weist der Brief einen Tintenklecks und den Kommentar auf:* Hab' ich ganz allein gemacht. Pfui.*]* Ob er den [Chor] nun selbst einstudiert hat, entzieht sich meiner Beurteilung. Jedenfalls schreiben beide vergnügt. Wie schön, daß Ihr solch angenehme Feiertage[6] hattet. Hier war auch alles schön und ruhig, und bin ich an den Feiertagen wenigstens etwas zu mir gekommen. Vorher war immer viel zu tun. Meine liebe Wirtin wird morgen 76 Jahre alt[7]; sie rackert unermüdlich von früh bis spät, da muß ich oft helfend eingreifen. Daß Dora[8] Euch fehlte, kann ich mir lebhaft vorstellen. Ich hatte nette Briefe von Dora, Josi[9] und Walter[10] und werde sie Euch

1 Herbert N. Kruskal (1900-1989), ein Sohn von Regina van Sons Schwester Ernestine (Erna) Kruskal geb. Oettinger (geb. 1868 in Hamburg, gest. 1940 in Scheveningen). Die Familie Kruskal lebte in den Jahrzehnten vor der Emigration in Frankfurt a.M. (Staatsarchiv Hamburg, im Folgenden zitiert als StH, 332-8 Meldewesen, A 30; Aufzeichnungen von Manfred Vanson in dessen Nachlass, Jerusalem).

2 Manfred, Regina van Sons 1916 geborener Sohn, war Ende 1938 nach London emigriert. Nach vergeblichen Versuchen, ein Visum für ihn zu erhalten, hatte seine Mutter an englische Verwandte telegraphiert: „Rettet meinen Sohn!" In London fand Manfred van Son eine Anstellung beim Hilfskomitee für jüdische Flüchtlinge. Vgl. Salomon van Son: The Van Son Family. The History of a Jewish Family from the Gelderland and Overijssel Provinces. Jerusalem 1991 (Privatdruck), S. 105 ff.

3 Eine Aufführung von Kindern des von Manfred van Son und seiner Frau geleiteten Heims für jüdische Flüchtlingskinder in Hampstead (London).

4 Anna Schwab, Leiterin der Sozialabteilung des jüdischen Flüchtlingskomitees in London. Vgl. Manfred Vanson, wie Anm. 1.

5 Manfred van Sons Ehefrau Franziska („Fränze") geb. Hirsch, geb. 1914 in Sprottau (Niederschlesien). Von 1936 bis zu ihrer Emigration nach England im Oktober 1939 arbeitete sie als Haushaltspflegerin im Mädchenwaisenhaus der Deutsch-Israelitischen Gemeinde in Hamburg, Laufgraben 37 (StH, 522-1 Jüdische Gemeinden, 992 b; StH, 314-15 Oberfinanzpräsident, FVg 3465). 1940 heiratete sie in London Manfred van Son. Vgl. Salomon van Son, wie Anm. 2, S. 96.

6 Das jüdische Neujahrsfest fiel 1941 auf den 22. und 23. September.

7 Goldine Meier geb. Nathan, geb. 1865 in Hamburg. Die von ihr und ihrem Mann Jacob Meier (geb. 1872 in Schleswig) gemietete Wohnung im Parterre des Hauses Hartungstraße 12 hatte 4 1/2 Zimmer. Regina van Son war dort im April 1939 als Untermieterin eingezogen und bezahlte Wohnungsmiete „mit voller Pension", d.h. ihre Kost wurde von den Vermietern gestellt (StH, 314-15 Oberfinanzpräsident, R 1940/942). Ende 1939 kam mit dem Witwer Jacob Goldschmidt (geb. 1866 in Hamburg) ein weiterer Untermieter hinzu. Er bewohnte das Zimmer bis zu seinem Tod am 10.2.1942 (StH, 332-8 Meldewesen, A 51/1, K 2444).

8 Dora Schapiro geb. Kruskal (1902-1996), eine Tochter von Reginas Schwester Ernestine (Erna), vgl. Anm. 1.

9 Joseph (Josi) Schapiro, der Ehemann von Reginas Nichte Dora Schapiro geb. Kruskal, vgl. Anm. 8.

10 Reginas Neffe Walter Schapiro, ein Sohn von Joseph und Dora Schapiro, vgl. Anm. 8 und 9.

gelegentlich schicken. Erst muß ich sie beantworten. Walter schreibt ganz reizend: „Erinnerst Du Dich noch an den kleinen Jungen in Berlin? Inzwischen ist der Junge groß geworden, und er wünscht Dir das allerbeste zum Jahreswechsel, und möge uns das kommende Jahr alle wieder vereint sehen. Lasse es Dir weiter recht gut gehen und sei allerherzlichst gegrüßt von Deinem Großneffen Walter." Ich habe mich riesig damit gefreut. Dora schreibt, daß sie sich gut erholt und Kräfte gesammelt hat. Das ist doch fein. Eben, am frühen Morgen, war schon mein Schwager Benno P.[11] hier; ich war noch gar nicht fertig angezogen und dachte, es sei der Geldbriefträger, als es klopfte. Ich habe heute Jahrzeit von Hugo[12], und Benno wollte mir nur sagen, daß das van Son'sche Parochet heute in Schul auf war[13] und daß Dr. C.[14] beim Lernen[15] Hugos Namen erwähnt hat. Tante Recha[16] schrieb sehr befriedigt vom Besuch bei Euch. Liebe Edda[17], Dir danke ich deshalb so innig für das Paket, weil Du erstens als Absender genannt warst und es zweitens mit so viel Liebe gepackt war, daß, ohne Deinen Herren zu nahe zu treten, das nur eine Frau, und zwar eine gute Frau, gemacht haben konnte. Herbert habe ich ja auch für das Obst extra gedankt; es war wundervoll. Ein paar Stück davon schickte ich nach Sprottau.[18] Die Leute waren immer so reizend zu mir; soll ich [es] jetzt, wo sie es nicht mehr können, zu ihnen nicht sein? Du fragst, lieber Herbert, ob wir Lebensmittelkarten abgeben müssen – jawohl, für Haferflocken usw. ja, aber die brauchen wir nicht, die bekommen wir hier.[19] Ich sollte

11 Benjamin (Benno) Perlmann, geb. 1876 in Perleberg, wurde am 11.7.1942 mit seiner Ehefrau Elsa geb. van Son (geb. 1880 in Hamburg) aus Hamburg nach Auschwitz deportiert und ermordet. Vgl. Ina Lorenz: Verfolgung und Gottvertrauen. Briefe einer Hamburger jüdisch-orthodoxen Familie im „Dritten Reich“. Hamburg 1998, S. 42.

12 Hugo van Son, Reginas Ehemann, geb. 15.7.1875 in Hamburg, war am 3.10.1936 in Hamburg gestorben. „Jahrzeit“ bezeichnet das Gedenken an nahe Verwandte am Jahrestag ihres Todes.

13 D.h. der von einem Mitglied der Familie van Son gestiftete Vorhang vor dem Toraschrein (Parochet) in der Synagoge (Schul) war aufgehängt.

14 Oberrabbiner Dr. Joseph Zwi Carlebach, geb. 1883 in Lübeck, ein von tiefer Menschlichkeit geprägter Geistlicher, Pädagoge und Gelehrter, war eine der bedeutendsten Persönlichkeiten in der Geschichte der jüdischen Gemeinden von Altona und Hamburg. In dem nach ihm benannten Institut an der Bar-Ilan-Universität in Ramat Gan wirkt seine Tochter Prof. Dr. Miriam Gillis-Carlebach an der Bewahrung und Erschließung seines Werkes. Am 6.12.1941 wurde er mit seiner Ehefrau Charlotte geb. Preuss und vier Kindern aus Hamburg nach Riga deportiert und am 26.3.1942 zusammen mit seiner Frau und den Töchtern Ruth, Noemi und Sara bei Riga ermordet. Vgl. Miriam Gillis-Carlebach: Jüdischer Alltag als humaner Widerstand. Dokumente des Hamburger Oberrabbiners Dr. Joseph Carlebach aus den Jahren 1939-1941. Hamburg 1990.- Miriam Gillis-Carlebach: Jedes Kind ist mein Einziges. Lotte Carlebach-Preuss. Antlitz einer Mutter und Rabbiner-Frau. Hamburg 1992.

15 D.h. bei der Lesung.

16 Recha Oettinger geb. Rau (1872-1957), die Witwe von Reginas 1929 verstorbenem Bruder Joseph, war um 1936 nach Amsterdam emigriert (StH, 522-1 Jüdische Gemeinden, 992 b. Manfred Vanson, wie Anm. 1).

17 Edda Kruskal geb. Gradenwitz, Ehefrau von Regina van Sons Neffen Herbert N. Kruskal, vgl. Anm. 1.

18 Sprottau in Niederschlesien. Hier wohnten die Eltern von Reginas Schwiegertochter Franziska („Fränze“): Max Hirsch (geb. 1881) und Paula Hirsch geb. Jacobson (geb. 1884). Beide wurden 1942 in Auschwitz ermordet. Vgl. Manfred Vanson, wie Anm. 1.

19 Seit Dezember 1939 bestanden zwei Sonderdienststellen zur Ausgabe der Lebensmittelkarten an die Hamburger Juden. Ihre Versorgung mit Nahrungsmitteln wurde ab 1940 schikanös gedrosselt. Die Zuteilung der hier von Regina van Son genannten Lebensmittel - Obst, Fisch, Gemüse, Hülsenfrüchte und Süßigkeiten - erfolgte im Rahmen des Lebensmittelkartenbezugs nur an „Arier“. Zum Einkauf ihrer Lebensmittel musste Regina van Son ab Juli 1940 eine Sonderverkaufsstelle für Juden aufsuchen. Vgl. Leo Lippmann: „... daß ich wie ein guter Deutscher empfinde und handele.“ Hamburg 1993, S. 103 f. - Leo Lippmann: Mein Leben und meine amtliche Tätigkeit. Hamburg 1964, S. 695.

Wünsche äußern, lieber Herbert. Weiße Bohnen wären uns sehr willkommen, da wir sie nicht haben. Und eventuell Sardinen oder Sardellen oder Appetitsild. Natürlich sind Honigkuchen und Süßigkeiten auch stets willkommen, aber nicht nötig. Mit dem Obst habe ich mich jedenfalls enorm gefreut. Ich hörte, daß Gotthelf Friedländer[20] einen Sohn verloren hat, an derselben Krankheit wie Heinrich H.'s Sohn.[21] Ich bin sehr betrübt darüber. Der Stader war einer meiner ersten Verehrer. Long, long ago. Ich habe in diesen Tagen so viel zu schreiben, daß ich nicht weiß, wo mir der Kopf steht; die Tanten, die mir sehr lieb schrieben, müssen mit Briefen warten. Bestellt das bitte.

Gruß Euch und den all.[erliebsten] Kleinen

Eure Regina

---

20 Gotthelf Friedländer (geb. 1878 in Stade) war von 1907 bis 1909 in Hamburg als Bankbeamter gemeldet und siedelte dann nach Prenzlau über. Einige Jahre später heiratete er Anna Johanna Brasch aus Berlin. Aus der Ehe gingen zwei Kinder hervor: Lotte, geb. 1915 in Cuxhaven, und Fritz, geb. 1920 in Stade. Den Eheleuten Friedländer gelang es, mit ihrer Tochter Lotte nach England zu emigrieren, während der Sohn Fritz in Holland Zuflucht suchte. Vgl. Jürgen Bohmbach: „Unser Grundsatz war, Israeliten möglichst fernzuhalten". Zur Geschichte der Juden in Stade. Stade 1992, S. 61.

21 „Heinrich H.'s Sohn" konnte nicht identifiziert werden. Dennoch ist zu entschlüsseln, was Regina hier als „Krankheit" des Sohnes von Gotthilf Friedländer umschrieb: Gotthilf Friedländers Sohn Fritz wurde 1941 in Holland verhaftet und in Mauthausen ermordet. Vgl. Jürgen Bohmbach, wie Anm. 20.

2

Absenderin: Regina van Son, Hamburg
Empfängerin: Regina van Sons Tochter Ilse, Südfrankreich[22]

Hamburg, 22. Oktober 1941

Meine geliebte, süße kleine Tochter!

Am Vorabend großer Ereignisse[23] schreibe ich Dir; ich möchte im Falle meines Sterbens von Dir Abschied nehmen. Edda will so gut sein, Dir diesen Brief dann zu übermitteln. Mein süßes Kind, bereit sein ist alles, und ich bin für alles bereit. „Führ' mich zum Leben, führ' mich zum Tode, Herr, ich erkenne Deine Gebote" ist für mich von je meine Losung gewesen. Klage nicht, ziehe nicht Schwarz an, denn Papas Wunsch war es, daß Ihr um ihn nicht Schwarz tragen solltet.

---

22 Ilse Hannchen van Son (geb. 14.7.1907 in Hamburg, gest. 22.12.1957 in Bandol, Frankreich) heiratete eine Woche später im südfranzösischen Exil Victor Victorevitch Savinkov. Vgl. Salomon van Son, wie Anm. 2, S. 96. - Dieser Brief ist nur in Abschrift erhalten.

23 Am 21. und 22.10. hatten über 1000 Hamburger Juden Deportationsbefehle der Gestapo erhalten. Angekündigt wurde die „Evakuierung nach Litzmannstadt" (Lodz). Die davon Betroffenen sollten sich am 24.10. um 14.00 Uhr auf der Moorweide versammeln. Mindestens 13 von ihnen nahmen sich das Leben (StH, 331-3, Polizeibehörde - Unnatürliche Sterbefälle; vgl. auch Anm. 67). Regina van Son schrieb diesen Brief in der sicheren Erwartung, dass auch sie einen Deportationsbefehl erhalten würde.

Wir sind alle sterblich, und „dust thou art, to dust returnest", was not spoken of the soul.[24] Und weiter heißt es im Psalm of Life:

> "Footprints that perhaps another,
> Sailing o'er life's solemn main
> A forlorn and shipwrecked brother,
> Seeing, shall take heart again."[25]

Der liebe Gott weiß es – er muß es wissen -, daß ich immer bemüht war, footprints on the sands of time zu hinterlassen, daß ich in den letzten Jahren nie geklagt habe, mich immer bemüht habe, die Menschen meiner Umgebung aufzurichten und zu erfreuen. Wenn ich etwas bereue, so ist [Lücke im Manuskript].

Ach[26] Fränze, meine neue gute Tochter, ich stelle mich vor Eure Bilder, hebe meine Hände und sage auf Hebräisch [zu]erst das, was man zu Sohn und Tochter sagt, und dann: „Gott segne und behüte Euch, Gott lasse sein Angesicht Euch leuchten und begnade Euch. Gott wende sein Angesicht Euch zu

---

24 Übersetzt: „Der Satz ‚Du bist aus Staub erschaffen und wirst wieder zu Staub werden' gilt nicht für die Seele." Das Zitat stammt aus dem Gedicht „A Psalm of Life" von Henry Wadsworth Longfellow (1807-1882). Für die Verifizierung danke ich Struan Robertson, Hamburg.

25 Henry Wadsworth Longfellow, wie Anm. 24. Übersetzt: „Fußspuren, die vielleicht ein anderer sieht, der im Strom der ernsten Zeit verlassen und schiffbrüchig dahintreibt, werden ihn stärken."

26 Im Manuskript: Auch.

und gebe Euch Frieden.“ Und am Jaum-Kipper-Vorabend[27] segne ich Euch mit dem Segen des Waisenhauskalenders, der Onkel Josephs Lehrer Zadik Broches’ Werk war: „Möge es der Wille unseres himmlischen Vaters sein, Liebe zu ihm und Ehrfurcht in Euer Herz zu legen. Möge die Ehrfurcht vor Gott alle Tage Eures Lebens auf Euerm Antlitz sein, damit ihr nicht sündigt. Möget Ihr sehnsüchtiges Verlangen nach Thora und Mitwaus[28] haben. Mögen Eure Augen in Geradheit blicken, Euer Mund Weisheit sprechen und Euer Herz nur Gottesfurcht sinnen. Mögen Eure Hände sich mit der Gotteslehre beschäftigen und Eure Füße eilen, den Willen des himmlischen Vaters zu erfüllen. Er möge Euch Söhne und Töchter geben, die pflichttreu sind, die sich alle Tage ihres Lebens mit Gotteslehre und Gottesgeboten beschäftigen. – Möge er Euch Nahrung geben auf erlaubtem Wege in Hülle[29] und Fülle aus seiner geöffneten Hand und nicht durch Gaben von allen schenkend; einen Nahrungszweig, der Zeit läßt zum Dienen Gottes. Möget Ihr eingeschrieben und besiegelt werden für ein glückliches und langes Leben unter allen Pflichtgetreuen Israels, Amen.“

Weißt Du noch, mein gutes Kind, wie wir immer lachten, besonders Herbert, wenn unsere Zahnärztin zu mir sagte: „Kleine Frau van Son, gleich.“ Sie meinte damit, der

---

27 Jiddisch für Jom Kippur, den Versöhnungstag.
28 Jiddisch für Mizwot (Gebote, gottgefällige Taten).
29 Im Manuskript statt Hülle wohl irrtümlich: Ruhe.

Schmerz würde gleich nachlassen. Und so hoffe und wünsche ich, daß Dein Schmerz und Euer Schmerz um mich, geliebte Kinder, auch nachläßt, recht schnell, und Ihr Euch wichtigeren Dingen zuwendet. Kinder sollen Eltern begraben, aber nicht Eltern Kinder. In diesem Sinne schließe ich mit den Worten aus Shakespeare:

„For ever and for ever;
fare well Ilse, Manfred, Fraenze,
If we shall meet again, then we shall smile,
If not, this parting was well done."[30]

In unendlich großer Liebe

Eure Regina

Ich muß mit Don Carlos, oder war es Marquis Posa?, sagen: „Oh Königin, das Leben war doch schön."[31] Malgré tout.[32] Ich las vor kurzem wieder den „Trost des Volkes" von Aub.[33]

---

30 Lebt wohl für immer, Ilse, Manfred, Fränze. Sollten wir uns wiedersehen, so werden wir lächeln; wenn nicht, so haben wir jetzt einen guten Abschied genommen.

31 Friedrich Schiller, Don Carlos, 21. Auftritt, Marquis von Posa: „Königin! - O Gott, das Leben ist doch schön!"

32 Französisch: trotz allem.

33 Vermutlich lautete der Name im Original des Briefes nicht Aub, sonder Asch. Von Schalom Asch stammte der 1934 in Zürich veröffentlichte Roman „Der Trost des Volkes".

Ich merkte nicht, daß ich es schon mal gelesen hatte; erst als ich den Namen Rachel las, merkte ich es. Lest es, meine guten Kinder, es wird Euch Kraft geben, wie es mir Kraft gegeben. –
Meine liebe Edda. Man soll sein Haus bestellen, deswegen schicke ich Dir diesen Brief ein. Vielleicht verreise ich bald und schicke Euch dann meine neue Adresse. Ich schrieb Euch ja gestern ausführlich. Innigste Grüße Euch allen Lieben, und innigen Dank für alles, was Ihr für mich getan habt und tun werdet.

Wie immer

Eure Regina

3

Absenderin: Regina van Son, Hamburg
Empfängerinnen: Claire[34] und Recha Oettinger[35], Amsterdam

24.10.41

Liebe Cläre, liebe Recha!

Ihr wartet gewiss schon lange auf [einen] Brief von mir, und da will ich endlich schreiben. Es ist jetzt ½ 7 Uhr morgens, ich wache aber schon seit ½ 5. Gestern Morgen auch. Aber gestern Abend habe ich schon von ½ 10 Uhr an geschlafen, das geht doch. Ich schreibe im Bett. Es geht einem so vieles durch den Kopf, und da ist es besser, anstatt zu grübeln, dass man seine Zeit gut ausnutzt. Ich will nachher noch zu meinen Verwandten Hess (geb. Rosskamm, Cousine von Hugo). Sie verreisen heute auf längere Zeit.[36] Gestern war ich nur dreimal bei ihnen; vorgestern einmal, da der Fahrstuhl nicht ging und sie [in der] vierte[n] Etage wohnen, in Schellys vorletzter Wohnung in der Schlüterstraße, wo unser Ernst starb.[37] Ich habe gestern noch mehrere Besuche gemacht, bei Daniels[38], bei Frl. Flörsheim, bei B.'s, der Freundin von Martha M., wo mir leider nicht aufgemacht wurde, und bei Frau Abraham, die Hilfe [im Haushalt] meiner Schwägerin Elsa[39] ist. Das Gehen wurde mir etwas schwer, denn ich habe neue Einlagen in meinen Schuhen, die wohl nicht ganz richtig sind. Jedenfalls hatte ich Schmerzen. Ich brachte jedem ein Paar Pinienplätzchen mit, die ich morgens gebacken hatte und die ich gestern Morgen vergebens ½ Stunde in der ganzen Wohnung suchte. Gestern Morgen war schon Herthas frühere Freundin Marianne bei mir und brachte mir einen Brief von Erna, Herthas Schwester, der Schwiegermutter von Hermann Hirsch, aus Bolivien. Ich will ihn gleich zurückschicken, denn Mariannes Mutter hat den Brief noch nicht gelesen. Da es heißt, dass ich noch sechs Wochen Joseph,

---

34 Claire (Cläre) Oettinger geb. Seckel, geb. 22.11.1872 in Walsrode, Witwe von Reginas Bruder Martin Oettinger (gest. 1925), war 1935 aus Hamburg emigriert. Auch sie wurde aus den Niederlanden deportiert und ermordet. Ihr Leidensweg endete am 13.3.1945 in Bergen Belsen. Vgl. Hamburger jüdische Opfer des Nationalsozialismus. Gedenkbuch. Bearbeitet von Jürgen Sielemann unter Mitarbeit von Paul Flamme. (Veröffentlichungen aus dem Staatsarchiv der Freien und Hansestadt Hamburg, Bd. XV) Hamburg 1995, S. 314.

35 Siehe Anm. 16.

36 Mit dem Wort „verreisen" umschrieb Regina van Son die Deportation nach Lodz vom 25.10.1941. Die davon Betroffenen mussten am Tag davor in der „Sammelstelle", dem Logenheim an der Moorweide, erscheinen. Siegfried Hess (geb. 30.4.1869 in Hamburg) und Martha Hess geb. Rosskamm (geb. 30.11.1877 in Hamburg) wurden am 7.5.1942 aus Lodz nach Chelmno deportiert und ermordet. Vgl. Hamburger jüdische Opfer des Nationalsozialismus, wie Anm. 34, S. 165.

37 Schelly van Son geb. Schwarz (geb. 24.12.1886 in Nicolajev), die Ehefrau von Regina van Sons Schwager David van Son, war im April in die USA emigriert. Ihre letzte Hamburger Adresse lautete Schlüterstraße 63. Dort hatte auch Regina van Sons 1936 verstorbener Bruder Ernst Oettinger gewohnt (StH, 522-1 Jüdische Gemeinden, 992 b).

38 Die Eheleute Max Daniel (geb. 19.2.1879 in Rawitsch) und Wally Daniel geb. Kohnheim (geb. 20.5.1888 in Samotschin) wurden am nächsten Tag nach Lodz deportiert und ermordet. Vgl. Hamburger jüdische Opfer des Nationalsozialismus, wie Anm. 34, S. 77.

39 Elsa Perlmann geb. van Son, siehe Anm. 11.

Martin, Trudel und die anderen besuchen kann,[40] möchte ich das mit den Blumen gleich in Ordnung bringen, l.[iebe] Cläre. Vielleicht erstmal für ein Jahr. Schreibe mir bitte die Daten noch mal. Es war doch der 28.12. und der 1.7., nicht wahr?[41] Gestern bekam ich ein Paket aus Sprottau,[42] herrliche Blocks Schreibpapier, Zwiebeln und ½ Pfund Linsen. Einen Block [und] eine Zwiebel, aber eine sehr große, und die Linsen brachte ich gleich meiner Cousine Martha H.[ess]. Ihr Mann schwärmt für Linsen und wir hier machen uns nichts daraus. Wie sind die H[es]s' beliebt! Alle Freunde brachten ihnen unglaublich viele Sachen zum Essen; natürlich tat ich auch, was ich konnte, und gab von meinem eisernen Bestand. Nur Tee nicht, den hatte ich selbst nicht. Aber sie bekamen es von einer Dänin, mit der sie befreundet sind. Wir haben gestern Morgen schon vor ¾ 7 [Uhr] gefrühstückt und dann mit Ausnahme von meiner Wirtin, die um 3 [Uhr nachmittags] etwas aß, nichts bis abends kurz vor 7 gegessen. Resi und Leopold, Neffe und Nichte meiner Wirte, reisen auch heute. Ihr 20jähriger Sohn fährt mit ihnen.[43] Die 15jährige Rita war zwei Jahre in Eurer Nähe und ist jetzt dicht bei Fränze. Erst arbeitete sie irgendwo; jetzt wird sie für die Landwirtschaft ausgebildet und lernt Reiten etc. Die Eltern sind sehr froh darüber. Ich war mit den Eltern recht befreundet. Die Adoptiveltern (Hirsch Levien) der jungen Frau waren mit meinen Schwiegereltern sehr befreundet und auch zu meiner Hochzeit [gekommen]. Die süße Elisabeth hat den Brotkorb bekommen, den ich von Leviens bekam. Gibt es bei Euch noch eine weiße Stopfwolle und doppelte weiße Stirnnetze? Ihr könnt Euch wirklich auf mich verlassen; ich bin sehr vernünftig und mache alles richtig und überlege mir alles reiflich. Ich habe zwar keine so guten Freunde wie meine Cousine Martha hat, aber es muß auch so gehen. „Hilf Dir selbst, dann ist Dir geholfen" soll von nun an mein Wahlspruch sein. H[es]s' waren Mittwochmorgen, ehe sie nach der Beneckestraße[44] gingen, bei uns, um mich zu unterrichten. Wir waren alle etwas erregt – d. h. meine Wirtin

---

40 Mit dem Besuch von „Joseph, Martin, Trudel und den anderen" waren deren Gräber auf dem Jüdischen Friedhof in Hamburg-Ohlsdorf gemeint. Regina van Son gab mit diesem Satz zu erkennen, dass sie mit ihrer Deportation in sechs Wochen rechnete. Offensichtlich war der Deportationstransport vom 6.12.1941 nach Riga zu diesem Zeitpunkt bereits angekündigt worden.

41 Die Todestage von Regina van Sons Brüdern Joseph Oettinger (gest. 28.12.1929) und Martin Oettinger (gest. 1.7.1925).

42 Vgl. Anm. 18.

43 Leopold Meier, geb. 3.10.1893 in Friedrichstadt, seine Ehefrau Therese (Resi) geb. Levin (geb. 12.5.1899 in Hannover) und ihr Sohn Rolf (geb. 10.5.1921 in Friedrichstadt) wurden nicht mit diesem Transport, sondern am 8.11.1941 nach Minsk deportiert und ermordet (vgl. Hamburger jüdische Opfer des Nationalsozialismus, wie Anm. 34, S. 280). Ihre Namen sind in einem Anhang zur Deportationsliste für den vorangegangenen Transport vom 25.10.1941 nach Lodz verzeichnet. In diesem Anhang wurden, wie die vorangestellte Erläuterung des Gestapobeamten Claus Göttsche vom 21.10.1941 lautet, „als Nachtrag zweihundert Juden aufgeführt, die für eventuelle Ausfälle in Reserve gehalten werden" (StH, 522-1 Jüdische Gemeinden, 992 m Bd. 3). Die Familie Meier wurde, wie Regina van Son später berichtete (siehe Brief 12) vom ersten Transport aufgrund der schweren Kriegsbeschädigung von Leopold Meier zurückgestellt. Das war allerdings nur deshalb geschehen, weil das von der Gestapo angesetzte Kontingent von 1000 zu deportierenden Menschen bereits erfüllt war. Die von der Gestapo behauptete Rücksichtnahme auf Leopold Meiers Kriegsbeschädigung war lediglich vorgeschoben.

44 In den Gebäuden Beneckestr. 2 und 6 befand sich die Verwaltung des Jüdischen Religionsverbands Hamburg.

war schon fort gegangen, als sie weg waren. Jedenfalls, als sie wieder da war, mochte unser „Liebling", wie ich ihn nenne, Herr J.[acob] G.[oldschmidt][45] einen fürchterlichen Aufzug: Meine Wirtin hätte ihm morgens nicht die richtige Milch warm gemacht und er wolle die Milch untersuchen lassen etc. Als sich das noch dreimal wiederholte und meine Wirtin in ihrer Güte immer stummer blieb, fuhr ich dazwischen und brüllte ihn an, er solle uns endlich mit seiner Milch zufrieden lassen. Er versuchte, wieder zu brüllen, aber ich war ihm über. Schließlich hatten wir alle anderes im Kopf. Seitdem ist er wie ausgewechselt, liebenswürdig und verhältnismäßig bescheiden. Ja, ein gutes Wort – und meines war recht kräftig – zur rechten Zeit tut oft Wunder. Vielleicht schickt Ihr Leo diesen Brief. Ich habe hier noch recht viel vor. Mit den innigsten Grüßen für Euch alle bin ich wie immer Eure Euch sehr lieb habende

Regina

[P.S.] Eben hat Herr G.[oldschmidt] wieder wegen der Milch gebrüllt, aber ich mische mich nicht ein, meine Puste ist mir zu kostbar. Der Mann ist richtiggehend verrückt.

---

45 Zu Jacob Goldschmidt siehe Anm. 7.

Bitte wenden

½ 12 Uhr

Ich wollte nur noch erzählen, dass ich eben ahnungsvoll bei Lubinski angerufen habe, Leute bei ihm im Haus hatten Telephon. Er reiste um 11 [Uhr] und wir haben uns herzlich verabschiedet.[46] Für Frau H. habe ich eben noch Eier geholt; gestern waren sie noch nicht da. Ich habe selbst einen wunderschönen Rucksack von den Kindern [bekommen].

Ich hoffe, dass Du wohl bist, l.[iebe] Cläre, ich habe verhältnismäßig lange keinen Brief von Dir bekommen.

---

46 Richard Lubinski (geb. 7.9.1896 in Breslau) wurde am 25.10.1941 nach Lodz deportiert, von dort am 10.5.1942 nach Chelmno gebracht und ermordet. Vgl. Hamburger jüdische Opfer des Nationalsozialismus, wie Anm. 34, S. 264.

4

Absenderin: Regina van Son, Hamburg
Empfänger: Herbert N. Kruskal, Scheveningen

Hmb., 26.10.1941

Lieber Herbert.

Da ich gestern einen Brief von Fränzes Vater[47] erhielt, will ich Dir das Wichtigste daraus abschreiben. Er schreibt:

„Ihre letzte Mitteilung ist nicht gerade sehr erfreulich, aber da kann nur der l.[iebe] G'tt helfen. Haben Sie keinen nahen Verwandten drüben, dem Sie wegen des Kubavisums kabeln könnten?[48] Unsere Kinder aus Norfolk, West Virginia, antworteten auf ein entsprechendes Kabel an Buk (Eltern von Fränzes Schwägerin), dass das Depot für Buk erst nach unserer Einreise gestellt werden könnte.[49] Durch die veränderte Lage kabelten sie noch mal und jetzt warten wir auf diesen Bescheid. Es wird den Kindern natürlich sehr schwer fallen, aber sicher werden sie alles tun, um die Eltern hinüber zu bekommen. Ich bin überzeugt, dass auch Ihre Verwandten alles [für Sie] tun würden. Man braucht eine Bankgarantie, die ein Herr Rosenack, New York, Woolworth B[ui]ld[in]g, besorgt. Gehen Sie doch zum Hilfsverein und lassen Sie kabeln, damit Ihnen Ihre Kinder keinerlei Vorwürfe machen können.

Es ist natürlich nicht angenehm, weitläufige Verwandte aufzustöbern, aber in dieser Lage müssen Sie es unbedingt tun. Teilen Sie mir bitte sofort mit, was Sie getan haben."

Die Unterstreichungen hat Fränzes Vater [Max Hirsch] alle gemacht; ich habe es so abgeschrieben, wie ich den Brief bekam. Ich bin etwas abgespannt, denn ich habe letzte Nacht sehr schlecht geschlafen. Man denkt so allerhand Gedanken. Sehr viele Freunde haben uns verlassen, Daniels, eine Cousine von Hugo, mit [ihrem] Mann, die Erna auch kannte; ich konnte den beiden, die mir wirklich nahe stehen, Donnerstag und Freitag viel helfen. Donnerstag hatten wir Tanis.[50] Lubinski ist auch abgereist. Einer merkwürdigen Eingebung folgend rief ich Freitagmorgen die Leute, die in

---

47 Max Hirsch, vgl. Anm. 18.

48 In dieser Zeit klammerten sich viele in Deutschland verbliebene Verfolgte an die Hoffnung, nach Kuba ausreisen zu können. Noch 1939 hatte die kubanische Regierung die Einreise von über 900 jüdischen Flüchtlingen, die mit dem Hamburger Schiff „St. Louis" im Hafen von Havanna eingetroffen waren, verweigert. 1940 und 1941 änderte der kubanische Staat seine Haltung und ermöglichte einer größeren Zahl deutscher Juden die Rettung (vgl. Armin und Renate Schmid: Im Labyrinth der Paragraphen. Die Geschichte einer gescheiterten Emigration. Frankfurt a.M. 1993, S. 61). Jetzt aber gab es keinen Ausweg mehr. Am 23.10.1941 war die Gestapo davon benachrichtigt worden, dass Himmler die Unterbindung jeder weiteren Emigration von Juden befohlen habe. Der Befehl wurde zunächst geheim gehalten (Wolfgang Benz, Hg.: Die Juden in Deutschland 1933-1945 unter nationalsozialistischer Herrschaft. München 1988, S. 72, 431 und 492).

49 Für die Einreise verlangte die kubanische Regierung 1500 Dollar „Vorzeigegeld" und eine Landegebühr (vgl. Armin und Renate Schmidt, wie Anm. 48, S. 61).

50 Fasttag.

seinem Hause wohnen, an und sprach ihn noch selbst, ehe er fort ging. Ich antwortete eben Herrn Hirsch, dass ich nicht so nahe Verwandte drüben hätte, die etwas für mich tun könnten. Die eingeborene Verwandtschaft würde mir bestimmt kein Affidavit[51] oder [eine] Bankgarantie geben, und die unlängst [her]rüber Gekommenen wären noch nicht in der Lage, es zu tun. Das Einzige, was ich tun könnte, wäre, Euch so schnell wie nur möglich von allem zu unterrichten. Fränzes Mutter schreibt: „Ihre Nachricht hat mich sehr aufgeregt. Gehen Sie zum Hilfsverein, in 8 Tagen haben Sie Antwort auf ein Kabel. Unsere Pässe sind mit eingestempeltem Kuba-Visum beim Hilfsverein zur Beschaffung des spanischen Transitvisums. Wir wissen noch nicht, wann das Schiff geht. Bleiben Sie mir gesund usw." Es ist doch rührend, wie sich diese Leute um mich kümmern, findet Ihr nicht? Ich antwortete heute gleich und der Brief ist schon im Kasten.

27.[10.1941], morgens 10 Uhr. Eben erhalte ich [eine] Karte von Fränzes Vater: „Jetzt wird's ernst, es geht endgültig los, denn der Hilfsverein schrieb uns, wir müssen uns bereit halten, am 29. in Berlin einzusteigen. Hoffentlich <u>befolgen</u> Sie meinen Rat von gestern, denn sonst würde Ihnen Ihr Sohn

51 Eidesstattliche Erklärung, für den Unterhalt nach der Einwanderung zu bürgen.

große Vorwürfe machen. Wenn Sie aber alles getan haben und trotzdem ohne Erfolg, dann stehen Sie wenigstens vor Ihren Kindern schuldlos und einwandfrei da. Ich wünsche Ihnen jedenfalls alles erdenkliche Gute. Nur schade, dass wir uns nicht mehr persönlich beguckt haben. Macht nichts, wird dann nachgeholt." Sie schreibt: „Ich hoffe, Sie haben den guten Rat befolgt, dann kann noch alles nach Ihrem Wunsch gehen. Bleiben Sie gesund, und G'tt helfe Ihnen weiter, damit wir uns in Cuba treffen können." So, das ist alles. Resi und Leopold, Neffe und Nichte meiner Wirte, die zurückgekommen sind, haben uns mit ihrem Besuch hier sehr erfreut. Sie schliefen ein paar Nächte bei uns, bis sie sich ein Zimmer gesucht haben. Daniel und viele l.[iebe] Bekannte sind verreist.[52] Vielleicht schickt Ihr diesen Brief auch Recha und Cläre. Viele innige Grüße Euch allen. Den gel.[iebten] Kindern ein Küsschen von Eurer

Tante Regina

52 D.h. sie waren am Tag davor deportiert worden.

5

Absenderin: Regina van Son, Hamburg
Empfänger: Ihre Verwandten in Amsterdam

29.10.41

Meine Lieben alle!

Eben kam Euer Brief vom 25.10., der mir sehr gut getan hat. Paula hat mal gesagt, Familie ist doch etwas Schönes, und das wußte ich immer und erlebe es jetzt wieder. Nachträglich tut es mir sehr leid, gerade Deinen Barmitzwoh-Samstag[53] gestört zu haben, lieber Herbert. Aber irgendwie mußte ich mir Luft machen, nachdem ich hörte, daß so viele meiner Liebsten und Nächsten umziehen.[54] Wenn ich Euch unnütz aufgeregt habe, seid mir nicht böse. Um mich braucht Ihr Euch nicht zu sorgen, ich bin sehr vernünftig und schlafe jetzt auch etwas besser. „Wie der Liebe G'tt will, ich halt' still", ist meine Devise. Nur kommt man ja vor lauter Mitgefühl nicht zu sich. Es ist ein Staat[55], wie alle sich in den Dienst der guten Sache stellen.[56] Vielleicht ziehe ich am 18. November um, es ist noch nicht raus.[57] Ich hoffe nur und wünsche, daß Fränzes Eltern heute gereist sind.[58] Meine Wirtin sagte mir neulich, daß meine Schwägerin Emma[59] ihr gesagt [habe], sie könne, wenn sie wolle, zu ihren Kindern nach A[mster]dam kommen, aber sie wolle nicht. Ich glaube, [sie will] ihrer

53 Bar-Mizwa, die feierliche Einführung jüdischer Jungen in die jüdische Glaubensgemeinschaft.

54 Mit dem Transport nach Lodz vom 25.10.1941 waren 1034 Menschen deportiert worden. Vgl. Hamburger jüdische Opfer des Nationalsozialismus, wie Anm. 34, S. XIX.

55 D.h. es ist eine Pracht.

56 Dr. Max Plaut (1900-1974), damals Leiter der ab 1938 zwangsweise zum „Jüdischen Religionsverband Hamburg r.V." zusammengeschlossenen jüdischen Gemeinden von Hamburg, Altona, Wandsbek und Harburg, berichtete darüber: „Die meisten, die einen Evakuierungsbefehl bekamen, wurden im Gemeindebüro beraten und, soweit erforderlich, ausgestattet. Dabei kam die noch gut bestückte Kleiderkammer und eine beispiellose Hilfsbereitschaft der jüdischen Bevölkerung zustatten." In: Staatsarchiv Hamburg (Hg.): Die jüdischen Opfer des Nationalsozialismus in Hamburg. Hamburg 1965, S. XI.

57 Der 18.11.1941 war der Termin des dritten, nach Minsk abgegangenen Deportationstransports aus Hamburg. Schon vorher, am 8.11.1941, hatte die Gestapo einen Deportationstransport nach Minsk durchgeführt. Offenbar war Regina van Son jetzt mitgeteilt worden, dass sie damit rechnen müsse, mit dem nachfolgenden Transport vom 18.11.1941 deportiert zu werden. Am 24.10. hatte sie ihre Deportation zum 6.12.1941 erwartet (vgl. Anm. 40), nachdem sie am 22.10.1941 in der Vorstellung gelebt hatte, drei Tage später nach Lodz verschleppt zu werden (vgl. Brief 2).

58 Die Eltern von Reginas Schwiegertochter Franziska van Son geb. Hirsch. Regina van Son drückte hier die Hoffnung aus, dass sie an diesem Tag ihre Reise in das rettende Ausland angetreten hatten (vgl. Anmerkungen 18 und 48).

59 Emma Levy geb. van Son (geb. 1874 in Hamburg), eine Schwester von Reginas Ehemann Hugo, war seit 1938 verwitwet. 1944 gelangte sie im Rahmen eines von der Gestapo genehmigten „Austausches" nach Palästina. Sie und Dr. Max Plaut, der Leiter des „Jüdischen Religionsverbandes Hamburg r.V." und spätere Leiter der „Bezirksstelle Nordwestdeutschland der Juden in Deutschland", gehörten zu einer Gruppe von Juden, denen die Gestapo die Ausreise nach Palästina erlaubte. Im Gegenzug wurden nichtjüdische Deutsche aus der Internierung in Palästina nach Deutschland entlassen (StH, 314-15 Oberfinanzpräsident, FVg 9197; StH 622-1 Familie Plaut, passim). Emma Levy geb. van Son starb 1953 in Tel Aviv (Salomon van Son, wie Anm. 2, S. 96).

Tochter wegen nicht, die noch hier ist.[60] Ich meine, ob vielleicht etwas für mich durch den Sohn meiner Freundin Ida Zuckermann[61] zu machen ist. Tante Cläre[62] hat ihre Adresse. Der Schwiegervater des Sohnes soll sehr einflußreich sein. Ich bereite alles in Ruhe für meinen Umzug vor. Verlaßt Euch auf mich, und seid meinetwegen ganz ohne Sorge. Es ist sehr schade, daß Hess' vorausgefahren [sind][63], denn sie waren mir wirklich treue Freunde und sehr liebe Verwandte. Ich habe jetzt zwar noch eine große Menge Bekannte hier, aber keinen, der mir so richtig nahe steht und mit dem ich mich beraten könnte. Leopold und Resi und der 20jährige Sohn von ihnen – L.[eopold] und R.[esi] sind Neffe und Nichte meiner Wirte – sind das erste Mal alle drei zurückgekommen, weil L.[eopold] im vorigen Krieg schwer kriegsverwundet war.[64] Der Sohn hatte sich freiwillig gemeldet, um die Eltern nicht allein zu lassen. Nun muß wohl der Sohn umziehen[65], und Resi, seine Mutter, reißt sich die Haare einzeln aus. Sie will, daß ihr Mann mit dem Sohn geht, und sie will dann folgen, etwas später, eine Woche darauf. Eben höre ich, daß der Umzug[66] des Sohnes 8 Tage verschoben ist. Mein ganzes Streben ist darauf gerichtet, die Fallenden zu stützen und ihnen Trost zuzusprechen. Gestern traf ich eine Dame, die ich nur flüchtig von Onkel Moses' bester Patientin kenne. Wir waren dort zum Kaffee zusammen. Sie redete mich an; ich wußte mal, wer sie ist, dann fiel es mir ein, und sie sagte mir, daß sie vor dem Umzug eine sehr weite Reise antreten wolle. Ich hatte wenig Zeit und sagte ihr, sie solle mich erst mal Sonnabendnachmittag besuchen, alles Weitere würde sich finden, und sie versprach zu kommen. Viele haben diese weite Reise angetreten.[67] Auch eine Dame, die bei meinem Schwager D. wohnte, [hat so gehandelt,] hörte ich.[68] Trotzdem ich noch kürzlich mit ihr zusammen war und vor 2 Jahren ein Nachmittagskränzchen mit ihr hatte, konnte ich nicht [zu ihrer Beerdigung] nach O.[hlsdorf] gehen. Ich freue

---

60 Eva Mathiason geb. Levy, geb. 27.7.1900 in Hamburg, wurde am 23.6.1943 aus Hamburg nach Theresienstadt deportiert, von dort 4.10.1944 nach Auschwitz gebracht und ermordet. Vgl. Hamburger jüdische Opfer des Nationalsozialismus, wie Anm. 34, S. 277.

61 Ida Zuckermann geb. Jonas, geb. 17.12.1880, emigrierte 1938 mit ihrem Ehemann James aus Hamburg in die Niederlande. Sie wurde 1944 von dort deportiert und in Auschwitz ermordet. Ihr Sohn, von dem hier gesprochen wird, war Hellmut Zuckermann, geb. 1907 in Hamburg. Vgl. In Memoriam [Gedenkbuch der Niederlande]. Den Haag 1995, S. 185. - StH, 522-1 Jüdische Gemeinden, 992 b.

62 Siehe Anm. 34.

63 Siehe Anm. 36.

64 Siehe Anm. 43.

65 D.h. er sollte deportiert werden.

66 D.h. die Deportation.

67 D.h. sie nahmen sich das Leben. Die Akten der Hamburger Polizei dokumentieren, dass vom 22.10.1941 bis zum Tag, an dem Regina diesen Brief schrieb, zwölf jüdische Frauen und vier jüdische Männer in Hamburg Suizid begingen. Aufgrund der unzureichenden Quellenlage muss eine noch größere Zahl als wahrscheinlich angenommen werden. Die Zahl erfolgloser Suizidversuche liegt im Dunkeln. Vgl. Anm. 23.

68 Bei Reginas Schwager David van Son, Haynstr. 7, wohnte damals die Lehrerin Berta Jonas (geb. 1880 in Hamburg). Sie nahm sich am 22.10.1941 das Leben, nachdem sie am Vortag von der Gestapo einen Deportationsbefehl erhalten hatte (StH, 331-5 Polizeibehörde - Unnatürliche Sterbefälle, 1941/1675). Ihr Mitbewohner David van Son, ein 1876 in Hamburg geborener Bruder von Reginas Ehemann Hugo van Son, wurde am 19.7.1942 nach Theresienstadt deportiert. Er überlebte und starb 1949 in den USA. Vgl. Salomon van Son, wie Anm. 2, S. 96.

mich sehr, daß Dora[69] gut gefastet hat. Grüßt sie herzlich von mir, wenn Ihr meinen Brief schickt. Es ist meine Absicht, Recha[70] auch zu schreiben. Auf jeden Fall ist dieser Brief für alle in A[mster]dam mit [geschrieben]. Innige Grüße und innigen Dank für Eure l.[ieben] Worte, die mir sehr gut getan haben. Meinen Brief vom 21.10. und den vom 27.10. eingeschrieben [gesandten Brief] hoffe ich in Euren Händen.
Wie immer in großer Liebe

Eure Euch alle küssende

Regina

Meine Tachririm[71] werde ich ins Handgepäck nehmen. Fränzes Eltern haben mir noch riesige Mengen Briefpapier geschickt; ich gab Hess[72] einen Block und auch Linsen und Zwiebeln, die sie geschickt hatten.

---

69 Dora Schapiro, vgl. Anm. 8.
70 Recha Oettinger geb. Rau, vgl. Anm. 16.
71 Totenkleider.
72 Siegfried und Martha Hess, vgl. Anm. 36.

In diesem Haus im Amsterdamer Stadtzentrum (Oranje Nassau Laan 45) wohnte Recha Oettinger, Regina van Sons Schwägerin (Foto von 2005)

Das Haus Oudezijds Voorburgwal 223 in Amsterdam mit der damaligen Wohnung des Neffen Herbert Oettinger (Foto von 2005)

Seit Ende Februar 1942 wohnte Regina van Son im 2. Stock des Hauses Bogenstraße 25 in Hamburg (Foto von 2003)

6

Absenderin: Regina van Son, Hamburg
Empfänger: Ihre Verwandten in Amsterdam

30.10.41[73]

Meine Lieben alle.

Guten Morgen. Hoffentlich habt Ihr ebenso gut geschlafen wie ich. – Mir gehen den ganzen Morgen die Verse meines Lieblingsliedes durch den Kopf. Es heißt „Dos Päckele“[74], und Ihr kennt es gewiss:

Seit unser Land ist verloren,
ist entbrannt Esaus Zorn.
Mir wandern, men jogt uns von Lande zu Land.
Er locht, daß mir trogen den Schimel, den Pekel.
A Kreuz. Kann er wissn, was dort liegt im Seckel?
Mit Ogres kafen ist er nit im Stand.
Er drängt un plogt, der Jidel geht weiter und sogt:
„Trog das Päckele, Jidele, hob kei Moire
uf dein Pleizel und wer nit mid.
Trog das Päckele, hiet ob G'tts Thäure,
solang du trogst den Nomen Jid.

Ich weiß noch genau, wie ich einmal ein Quartett singen hörte und vor Freude außer mir war, als eine Programmänderung kam und dieses Lied gesungen wurde. Ich erkannte die Melodie an den ersten Takten.

Eigentlich habe ich gar nichts mehr zu schreiben, aber ich plaudere so gern mit Euch und will das Porto ausnutzen. Bleibt vergnügt und gesund, und ich werde es versuchen, auch zu sein. Ich schrieb Manfreds Schwiegereltern, die hoffentlich gestern gereist sind, daß, als Hugo[75] damals vereidigt wurde, Dukass[76] damals den Rekruten sagte: „Chasak

---

73 Regina van Son bezifferte den Brief vor dem Datum mit II und sandte ihn vermutlich zusammen mit dem am Vortag geschriebenen Brief ab.

74 Frau Dorothea Greve, Jiddisch-Dozentin an der Bar-Ilan-Universität, Ramat Gan, ist die folgende Übersetzung zu verdanken:

Das Päckchen

Seit unser Land verloren ist,
zürnt Esaus Zorn.
Wir wandern, man jagt uns von Land zu Land.
Er lacht, während wir unsere Koffer und Päckchen tragen.
(Ein) Kreuz. Ist es möglich, dass er weiß, was dort im Säckchen liegt?
Mit den alten Pferden ist es ihm unmöglich zu konkurrieren.
Er drängt und plagt, der Jude geht weiter und sagt: „Trag' das Päckchen, Jude,
sei nicht ängstlich vor deinem Platz und ermüde nicht.
Trag das Päckchen, bewahre G'ttes Tora, so lange du den Namen „Jude" trägst.

75 Reginas Ehemann Hugo van Son, vgl. Anm. 12.

76 Vermutlich der Hamburger Rabbiner Eduard Duckesz, geb. 1868. Er wurde 1943 aus den Niederlanden deportiert und am 6.3.1944 in Auschwitz ermordet. Vgl. Hamburger jüdische Opfer des Nationalsozialismus, wie Anm. 34, S. 84.

weemoz", d.h. „Seid stark und mutig", und das will ich auch sein. Seid mir bitte nicht böse, wenn ich Euch in Unruhe versetzt habe.

In großer Liebe

Eure Regina

Natürlich konnte ich in meinem Brief vom 21.[10.] nichts vom Umzug[77] erwähnen, da ich es erst am 22. morgens um 9 [Uhr] von Hess hörte.

---

77 D.h. von der angeordneten Deportation nach Lodz. Vgl. Anm. 23.

7

Absender: Regina van Sons Neffe Herbert N. Kruskal, Scheveningen
Empfänger: Regina van Sons Neffen Herbert und Hans Oettinger, Amsterdam[78]

Scheveningen, 30. Oktober 1941

Lieber Herbert, lieber Hans,

Ich schrieb Euch gestern Nachmittag und sende Euch einen soeben von Tante Regina eingegangenen Einschreibebrief vom 26./27. d[ie]s.[es Monats], den ich zurück erbitte.

---

78 Herbert Oettinger, geb. 19.1.1896 in Hamburg, ein Sohn von Reginas Bruder Joseph und dessen Ehefrau Recha geb. Rau, war bereits 1933 mit seiner Frau Betty geb. Ettinghausen (geb. 14.2.1907 in Frankfurt a.M.) und der Tochter Ellinor (geb. 8.9.1929 in Hamburg) nach Amsterdam emigriert. Sie wurden 1944 in Auschwitz ermordet. Vgl. Manfred Vanson, wie Anm. 1; Hamburger jüdische Opfer des Nationalsozialismus, wie Anm. 34, S. 314; StH 522-1 Jüdische Gemeinden, 992 b. – Hans Oettinger, geb. 2.10.1900 in Hamburg, war ein Sohn von Reginas Bruder Martin. 1934 emigrierte Hans Oettinger mit seiner Frau Anita (Anni) geb. Mainz und dem Sohn Martin Arnold nach Amsterdam. Mit seiner Mutter Claire Oettinger geb. Seckel (geb. 22.11.1872 in Walsrode) wurde Hans Oettinger aus den Niederlanden deportiert und am 17.11.1944 in Bergen Belsen ermordet. Vgl. Manfred Vanson, wie Anm. 1; Hamburger jüdische Opfer des Nationalsozialismus, wie Anm. 34, S. 314. – Dieser Brief liegt nur in Abschrift vor.

Ich bin der Ansicht, daß wir mit Leo Elton und Joe[79] im Rücken – und sie werden sich bestimmt nicht verschließen – gemeinsam die Sache machen müssen und Tante Regina das Cuba-Visum besorgen sollten.[80] – Soweit ich vorgestern hörte (Herbert, erkundige Dich doch bitte beim Comité[81]), sind $ 150,- jetzt nur nötig, um das Visum zu erhalten; der ev[en]t.[uelle] Rest muß erst beim Eintritt ins Land deponiert werden. Ich bin auch dafür, Tante Regina zu helfen, wenn es mehr kosten sollte. (Bondi erzählte mir von einem Betrag von $ 150,00.)

Vielleicht kannst Du, lieber Herbert, ähnlich wie bei Hellmuth[82] etwas erreichen, obwohl das mir zweifelhaft erscheint, da Tante in H[am]b[ur]g lebt. Aber versuchen schadet doch nicht.

Wenn Josi[83] verfügbare Mittel hätte, so würde ich ihn veranlassen, das Visum zu erledigen, und wir drei [würden] später dafür aufkommen (siehe oben). Josi schrieb mir jedoch vor kurzem, [als] ich ihn um eine Vorlage bat, daß er durch

---

79 Leo Elton, 1883 in London geboren und 1947 dort verstorben, war ein Sohn von Regina van Sons Halbschwester Julie. Sein Bruder Joseph (geb. 1886 in London, 1975 dort verstorben) ist mit dem hier genannten Joe identisch. Vgl. Manfred Vanson, wie Anm. 1.

80 Siehe Anm. 48.

81 Vermutlich das niederländische „Comité Voor Bijzondere Joodse Belangen" (Komitee für besondere jüdische Angelegenheiten).

82 Vielleicht identisch mit Helmut Perlmann, ein Sohn von Reginas Schwager Benjamin Jacob Perlmann. Vgl. Ina Lorenz, wie Anm. 11, S. 38 f.

83 Joseph (Josi) Schapiro, vgl. Anm. 9.

Besorgung der Cuba-Visen für uns und andere Vorlagen keine disponiblen Mittel hätte. Wenn es hier durch das Comité nicht klappen sollte, könntest Du dann vielleicht Ernst und Gretel[84] veranlassen, daß sie [die Mittel] vorlegen? Wer käme für Mitbeteiligung noch in Frage? Jedenfalls muß etwas geschehen, die Verantwortung liegt auf uns.

Herzlichste Grüße

[Herbert N. Kruskal]

---

84 Dr. Ernst Loewenberg (1896-1987), bis 1934 Studienrat an der Hamburger Lichtwarkschule und danach an der Talmud-Tora-Schule, lebte nach der Emigration im Herbst 1938 mit Frau und Kindern in den USA. Seine Ehefrau Grethe (Gretl) geb. Oettinger, war eine Nichte von Regina van Son. Vgl. Manfred Vanson, wie Anm. 1; Ursula Randt: Die Zerschlagung des jüdischen Schulwesens. In: Ursula Wamser/Wilfried Weinke (Hg.): Ehemals in Hamburg zu Hause: Jüdisches Leben am Grindel. Hamburg 1991, S. 129.

8

Absender: Herbert N. Kruskal, Scheveningen
Empfängerin: Regina van Son, Hamburg

Scheveningen, 31. Oktober 1941

Liebe Tante Regina, wir schrieben Dir am Montag; Dienstag war ich bei Herbert und Hans[85], und als ich abends heimkam, hatte Hans Deinen Brief vom 24. ds. bereits uns durchtelefoniert, und wir waren glücklich, dass Du vorläufig nicht umzuziehen brauchst. Ich bin in Überlegung mit Hans und Herbert, ob wir Dir, wenn Du weiter Blinddarmschmerzen hast, raten sollen, doch noch eine Operation machen zu lassen; es ist schwer, das ohne Kenntnisse zu raten, was meint denn der Arzt, und wie ist es mit Deinen Augen und mit der Ischiasbehandlung, bekommst du noch Spritzen oder hat es sich bei Dir soweit gebessert?
Gestern traf nun Dein Einschreibebrief vom 25./27.[10.] ein, den ich sofort per Express Herbert durchsandte, um mit ihm und Hans zu beraten, was wegen Cuba für Dich zu tun wäre; ich hoffe, Dir in den nächsten Tagen Bescheid geben zu können, eventuell auch [darüber], was Du durch den Hilfsverein telegrafieren lassen kannst. Sei überzeugt, dass wir alles durchdenken wollen, und m[it] G[ottes] H[ilfe] gibt es eine Lösung, die Dir hilft. Übrigens las ich in der Zeitung hier, dass Leute über 80 Jahre, in gemengter Heirat Lebende[86]

und solche, die über besondere Verdienste für Deutschland verfügen, bleiben können. Unter Letzterem, so sagte man mir, sei vielleicht zu verstehen, dass Leute, die im letzten Krieg gedient haben etc., davon verschont sind [deportiert zu werden]. Da Onkel Hugo[87] doch den letzten Krieg mitmachte und nun nicht mehr lebt, sei vielleicht diese Guttat Dir anzurechnen. Du und Deine Bekannten werden das sicher selbst schon prüfen; auf alle Fälle will ich darauf aufmerksam machen. – Wir sind gesund, das ist die Hauptsache im Moment, obwohl uns die Aufregungen Deines Briefes noch in den Knochen sitzen. Von Dora und Josi[88] hatten wir Briefe vom 10. Oktober; ich sende Dir Doras und Ellens[89] Brief ein (brauchst solche aber nicht zurückzusenden). Doras Adresse ist, wie Du siehst, geändert.
Alles, alles Gute für weiterhin, und herzlichste Grüße auch von meinem Vater, und viele herzliche Grüße für Carleb[ach]s.[90]
Was macht Hanna?[91]

Dein [Herbert N. Kruskal]

---

85 Vgl. Anm. 78.
86 D.h. Ehen mit jüdischen und nichtjüdischen Partnern.
87 Regina van Sons Ehemann.
88 Dora und Joseph (Josi) Schapiro, vgl. Anm. 8 und 9.
89 Regina van Sons Nichte Ellen Schapiro, Tochter von Joseph und Dora Schapiro, vgl. Anm. 8 und 9.
90 Oberrabbiner Dr. Joseph Zwi Carlebach und dessen Ehefrau Charlotte, vgl. Anm. 14.
91 Eine Cousine von Edda Kruskal, vgl. Anm. 17.

9

Absender: Herbert N. Kruskal, Scheveningen
Empfänger: Regina van Sons Neffen Herbert und Hans Oettinger, Amsterdam

Scheveningen, 3. November 1941

Soeben kam von Tante Regina ein Einschreibebrief vom 29. [Oktober]. Tante Regina denkt anscheinend an eine Möglichkeit, hierher zu kommen, auf Grund meiner damals [für sie] erhaltenen (und dann abgelaufenen) Genehmigung. Ich kann es mir zwar nicht vorstellen, aber vielleicht informierst Du Dich, lieber Herbert, doch auf alle Fälle beim Comité. – Tante Regina rechnet anscheinend schon mit einer Deportierung per 18. November, und anscheinend ist die ganze Aktion gar nicht zu stopgezet[92], sondern nur verlangsamt.
Wie schon gestern Abend telefonisch gesagt, hoffe ich morgen Vormittag bei Euch zu sein.

[Herbert N. Kruskal]

---

92 niederländisch: gestoppt.

10

Absender: Herbert N. Kruskal, Scheveningen
Empfängerin: Regina van Son, Hamburg

Scheveningen, 5. November 1941

Liebe Tante Regina,

wir erhielten vorgestern Deinen Brief vom 29. Oktober, den wir sofort Herbert und Hans zusandten, und gestern war ich in Amsterdam, um mit ihnen aufgrund Deiner Mitteilungen zu beratschlagen. Wir kamen zu folgendem Resultat: Sofort zu versuchen, dass Du die Erlaubnis bekommst, hierher zu kommen, um in den Familienverband aufgenommen zu werden. Ich habe eine diesbezügliche mir von Herbert aufgesetzte Erklärung bereits unterschrieben und notariell beglaubigen lassen und an Herbert und Hans zur weiteren Erledigung eingesandt. In dieser Erklärung heißt es, dass wir für Deinen Unterhalt aufkommen wollen, dass Du alleinstehend und kränklich bist und Deine Aufnahme in den Familienverband lebenswichtig sei. Ich weiß nicht, ob es möglich sein wird, jedenfalls wollten wir auf Grund Deiner Mitteilung und, nachdem Herbert mit dem Comité rückgesprochen hatte, es versuchen. Gelingt es nicht, dann hatten wir besprochen, an Josi ein Telegramm zu senden und ihn zu

bitten, telegrafisch ein Cuba-Visum für Dich zu besorgen und zu veranlassen, dass davon Dir oder dem dortigen Comité sofort Mitteilung gemacht wird, und dass für die Kosten etc. die ganze Familie aufkommen soll.
Mit Gottes Hilfe gelingt uns das eine oder das andere, so dass Du von weiterem Ungemach verschont bleibst. Wir bewundern Deine Haltung, und es wird schon m[it] G[ottes] H[ilfe] eine Zeit kommen, wo Du mit Deinen Kindern und uns allen in Freuden Dich wieder sehen wirst [...].

Herzliche Grüße, auch von Papa und Edda, herzlichst Dein treuer Neffe

[Herbert N. Kruskal]

11

Herbert N. Oettinger
Telefoon 45311 Amsterdam-C., den 6. November 1941
O.Z. Voorburgwal 223

Herrn
Herbert N. Kruskal
Mechelschestraat 8
Scheveningen

Lieber Herbert!

Beim Nachhausekommen gestern Abend spät empfing ich Deinen Eilbotenbrief, und ich werde möglichst noch heute den Antrag mit den nötigen beglaubigten Unterschriften per Einschreiben und Eilboten direkt an Tante Regina mit den nötigen Anweisungen zur Absendung bringen. Inzwischen sende ich Dir den Text des vielleicht später nötig werdenden Telegramms endstehend. Kopie meines Briefes an Tante Regina einliegend.

Ich grüße Dich für heute herzlich,

Dein Vetter

Herbert

Anlage 1

Telegramm:

NLT SCHAPIRO 282 CABRINI BOULEVARD NEW YORK CITY

REGINA 14 JULI 1880 HAMBURG BENOETIGT DRINGENDST CUBAVISUM. VERANLASSET JOINT[93] [ZUR] SCHNELLSTE[N] BESCHAFFUNG. MOEGLICHST UMGEHENDE BENACHRICHTIGUNG [NACH] HAMBURG, DASS ANTRAG LAEUFT. KOSTENUMLAGE GANZE FAMILIE. INSTRUIERET SAM LEO BRATS.

HERBERT

93 Das American Joint Distribution Committee, kurz Joint genannt, war die zentrale Hilfsorganisation der USA für die vom nationalsozialistischen Regime verfolgten Juden.

Anlage 2

Herbert N. Oettinger
Amsterdam den 6. November 1941

EINSCHREIBEN. DURCH EILBOTEN.

Frau Regina van Son
bei Meyer
Hartungstraße 12a
Hamburg 13
Deutschland

Liebe Tante!

Einliegend sende ich Dir einen Antrag Deiner drei in Holland wohnenden Neffen mit deren notariell beglaubigten Unterschrift[en].
Gehe damit bitte sofort zu Dr. Plaut[94] oder zu einer anderen Amtsperson, die Dir bekannt ist, damit er oder Du selbst diesen Antrag schnellstens der dortigen Polizei oder sonst hierfür zuständigen Behörde vorlegst, mit dem Ersuchen, Dir die Einreise hierher zu genehmigen.

---

94 Dr. Max Plaut, Leiter des Jüdischen Religionsverbands Hamburg; vgl. Anm. 56 und 59.

Wie man allgemein hört, sind solche Anträge in der letzten Woche wiederholt genehmigt worden, und wenn ihm stattgegeben würde, könntest Du hierher übersiedeln.
Laß‘ uns bitte schnellstmöglich wissen, ob dem Antrag stattgegeben wird oder schon stattgegeben worden ist, damit wir im Ablehnungsfalle noch andere Schritte probieren können. Ich will Dich auch noch darauf aufmerksam machen, daß man anscheinend unbehindert Frachtgutsendungen beliebigen Inhalts von Deutschland nach Holland schicken kann.
Ich wünsche Dir Erfolg und bin wie stets

Dein Neffe

[Herbert]

Anlage 3

Herbert N. Oettinger, geboren 19. Januar 1896, wohnhaft Amsterdam,
Hans N. Oettinger, geboren 2. Oktober 1900, wohnhaft Amsterdam,
Herbert N. Kruskal, geboren 14. Oktober 1900, wohnhaft Scheveningen,
erklären hiermit, dass sie für den Unterhalt ihrer Tante Regina van Son geborene Oettinger, geb. 14.7.1880 zu Hamburg, wohnhaft Hamburg, Hartungstraße 12a, vollständig aufkommen und beantragen deren Einreise in das besetzte niederländische Gebiet. Frau Regina van Son ist Witwe, alleinstehend, kränklich und ihre Aufnahme in den Familienverband lebenswichtig.

Scheveningen, Amsterdam, 5. November 1941
[notariell beglaubigte Unterschriften]

12

Absenderin: Regina van Son, Hamburg
Empfänger: Ihr Neffe Herbert N. Kruskal, Scheveningen

7.11.41

Meine Lieben.

Eben kommt Euer l.[ieber] Brief vom 31.10.[95] Vielen Dank für die wirklich gut gemeinten Ratschläge, über die [ich], wenn mir zum Lachen zumute wäre, herzlich gelacht hätte. Wie stellt Ihr Euch eigentlich „Verdienste" vor? Resi und Leopold[96], Neffe und Nichte meiner Wirte, wurden voriges Mal wegen seiner schweren Verwundung 1917 [von der Sammelstelle zur Deportation vom 25.10. nach Lodz] zurückgeschickt, ihr Sohn[97] ebenfalls, der sich freiwillig gemeldet hatte. Nun muß der Sohn mit, und die Eltern gehen freiwillig mit. Als ich eben nach Hause kam, – ich hatte drei Stunden bei Kahns, Freunden von mir, genäht – hörte ich es. Sie müssen mit, meine alte 76jährige Klavierlehrerin, ihre Schwiegertochter und die beiden süßen Mädchen von 17 und 19 Jahren.[98] Gestern Nachmittag war ich dreimal da. Ich brachte meiner alten Klavierlehrerin eine warme Bluse von mir, die aus einer Jacke von Tante Julie gemacht wurde, und einen warmen Rock. Ich trennte mich ungern davon, aber was sollte ich tun, sie hat nichts Warmes. Auch geht es mir mit meinen Knien viel besser. Ich reibe mich zweimal, das heißt einen um den anderen Tag, mit meiner Kniesalbe ein, denn ich habe richtig Angst vor dem Wiederkommen der Schmerzen. Auch Dein anderer Vorschlag, lieber Herbert, ist indiskutabel. Also lass' man, mein Kind, lass' mich hier ruhig sterben, sage ich mit Tante Cläres Tante Minna. Lasst Euch die Geschichte von Tante Cläre erzählen, wie Tante Minna auf dem Alten Steinweg hinfiel und die Droschkenkutscher sie wieder aufhoben. Es war immer Onkel Ernsts Glanzstück, das zu erzählen. Während ich Euch schreibe, packen Resi und Leopold das Letzte. Ich werde jeden Moment gerufen und muß Pappe für Anhänger und alles Mögliche hergeben. Auch meine letzten Riemen gab ich ihnen. Aber mein Oberbett habe ich stramm verteidigt und ihnen nicht mitgegeben. Denn ich kann nur unter einem ganz dünnen liegen, das leicht ist. Doras[99] Briefe sind sehr nett, und Ellen[100]

---

95 Siehe oben Brief 8.

96 Therese und Leopold Meier, vgl. Anm. 43.

97 Rolf Meier, vgl. Anm. 43.

98 Es handelte sich um die Witwe Marie Kahn geb. Helbing, geb. 16.10.1865 in Fürth, ihre Schwiegertochter Eva Kahn geb. Lipschitz, geb. 2.2.1895 in Lodz, und deren in Hamburg geborenen Töchter Ruth, geb. 17.3.1922, und Ingrid Kahn, geb. 28.7.1924. Eva Kahn und ihre beiden Töchter wurden am 8.11.41 nach Minsk deportiert und ermordet. Marie Kahn blieb von dieser Deportation noch verschont. Die Gestapo deportierte sie am 24.2.1943 nach Theresienstadt, wo sie nur wenige Wochen überlebte. Vgl. Hamburger jüdische Opfer des Nationalsozialismus, wie Anm. 34, S. 203; StH, 522-1 Jüdische Gemeinden, 992 b.

99 Dora Schapiro, vgl. Anm. 8.

100 Ellen Schapiro, vgl. Anm. 89.

schreibt richtig erwachsen. Wie die Kinder groß werden! Ich ging von Kahns aus heim zu Frl. Michael[101]; ihr Wirt muß mit,[102] und ich wollte sehen, was sie[103] mit ihr machen, ob sie in der Wohnung bleiben kann. Als ich von ihr fortging, traf ich meinen Schwager D.[104], der mir erzählte, daß der Bruder meines Schwagers Benno mit Familie auch mitfährt.[105] Über Eddas Cousine Hanna[106] weiß ich nichts, werde mich aber morgen erkundigen und Euch berichten. Der Brief ist ein bißchen unruhig, aber ich kann es nicht helfen. Behaltet mich lieb, wie ich Euch lieb habe. Mit Grüßen für Euch alle, Groß und Klein, bin, ich

Eure Regina

Herbert N. Kruskal leitete diesen Brief mit folgendem Zusatz an Regina van Sons Kinder weiter:

20. November

Meine Lieben,

ich war heute mit Herbert [N. Oettinger] und Hans [N. Oettinger] zusammen. Der letzte Brief, der von Tante Regina kam, ist vom 14. ds. [Monats][107]; sie hat ihre Anträge [auf Ausreise in die Niederlande] in beste Hände gelegt, hat aber, wie sie meint, wenig Aussicht. Soweit aus ihrem Brief hervorgeht, hat sie sich selbst zum Umzug per Anfang

Dezember[108] gemeldet; warum, wissen wir nicht, vielleicht aus Übernervosität gegenüber dem Ungewissen, vielleicht aus Idealismus, oder sonst. – Wie geht es Jaros? Hörte heute von Lange[109], daß er ziemlich krank war. Könnt Ihr ihm von uns eine kleine Aufmerksamkeit mit Grüßen senden? Herzlichen Dank,

viele Grüße,

Euer H.[erbert]

[P.S.] Eurer lieben Mutter geht es unverändert.

---

101 Alle Anzeichen sprechen für ihre Identität mit Eugenie Michael (geb. 15.10.1861 in Hamburg). Sie wurde am 15.7.1942 nach Theresienstadt deportiert und starb dort am 3.12.1942. Vgl. StH, 522-1 Jüdische Gemeinden, 992 b; Hamburger jüdische Opfer des Nationalsozialismus, wie Anm. 34, S. 292.

102 Zur Deportation nach Minsk.

103 im Original steht statt des Wortes sie irrtümlich: ich.

104 David van Son, vgl. Anm. 37 und 68.

105 Benjamin (Benno) Perlmanns Bruder Isaac Perlmann, geb. 30.4.1881 in Hamburg, seine Ehefrau Emma geb. Depken, geb. 19.4.1883 in Hamburg und ihre Kinder Harriet, geb. 11.12.1915 in Hamburg, und Herbert, geb. 17.9.1919 in Hamburg, wurden am 8.11.1941 nach Minsk deportiert und ermordet. Vgl. Ina Lorenz, wie Anm. 11, S. 42.

106 Siehe Anm. 91.

107 Der Brief ist nicht erhalten.

108 D.h. zur Deportation nach Riga. Als Termin hatte die Gestapo den 4.12. bestimmt; der Transport verließ Hamburg dann erst am 6.12.1941.

109 Vermutlich Isaak Lange, geb. 10.03.1897 in Franfurt a.M., der 1944 aus den Niederlanden deportiert und ermordet wurde. Vgl. Hamburger jüdische Opfer des Nationalsozialismus, wie Anm. 34, S. 227.

13

Absenderin: Regina van Son, Hamburg
Empfängerin: Claire Oettinger geb. Seckel, Amsterdam

17.11.1941

Meine liebe Cläre.

Ich glaube Dir alles, auch, dass Du in Gedanken viel bei mir bist; beschäftige Dich aber lieber in Gedanken mit etwas Froherem. Deinen Brief fand ich heute früh vor, nachdem ich meinen Brief an Euch alle am Stephansplatz gepostet habe. Vielen Dank. Ach, es ist ganz egal, ob Du noch Haarnetze schickst oder nicht; ich habe sie ja schon mit tausend Dank bestätigt, nicht wahr? Ich habe heute einen richtigen Kater. Der Abschied von den 4 Behrend[110] ist mir doch recht nahe gegangen. Bis auf Helene waren sie sehr tapfer, und sie gab sich auch viel Mühe. Ich war heute noch von 11 – 1 Uhr da, half aber gar nichts, denn erstens war genug Hilfe da, und zweitens war ich von den letzten Tagen erschlagen.[111] Es ist doch ein bißchen viel, was auf einen einstürzt, wenn man so ganz allein ist wie ich. Dabei darf ich mich sicher nicht beklagen; Emma[112] war hier, während ich schlief, um sich zu erkundigen, wie es abgelaufen [ist], mein Schwager D.[113] war eben hier, aus dem gleichen Grunde, und doch bin ich sehr allein. Am 10.11. hatte ich von Recha[114] eine Karte vom 3.11. Sonst habe ich nichts von ihr gehört. Was soll man auch immer schreiben? Und doch bitte ich innig, schreibt mir noch recht oft, solange es geht, ich muß dann lange, lange davon zehren. Habt Ihr in Riga Bekannte? Kann sein, daß ich dahin verschlagen werde. Nichts Gewisses weiß man nicht. Es war erhebend zu sehen, wie viele Freunde die B[ehrend]s haben, und alle halfen ihnen, und alle brachten ihnen die schönsten Sachen zum Mitnehmen. Ich konnte diesmal nur wenig zusteuern; ich habe mich schon ziemlich bei Hess' und bei Kahns ausgegeben, und schließlich muß ich ja auch

---

110 Edith Behrend, geb. 24.5.1880 in Hamburg, Elsa Behrend, geb. 13.2.1879 in Hamburg, Helene Behrend, geb. 3.2.1883 in Hamburg, und Martha Behrend, geb. 3.12.1881 in Hamburg, wurden am 18.11.1941 nach Minsk deportiert und ermordet. Vgl. Hamburger jüdische Opfer des Nationalsozialismus, wie Anm. 34, S. 25 f.

111 Die Empfänger des Deportationsbefehls mussten die Nacht vom 17. auf den 18.11. im Logenhaus an der Moorweide verbringen (StH, 731-6 Zeitgeschichtliche Sammlung, III 25, Brief einer Angehörigen dieses Transports). Zur Kontrolle ihres Gepäcks durch die Gestapo hatten sie in der Turnhalle der früheren jüdischen Mädchenschule (Carolinenstraße/Kampstraße) erscheinen müssen. Vgl. Wilhelm Mosel: Wegweiser zu den ehemaligen Stätten jüdischen Lebens oder Leidens in den Stadtteilen Neustadt/St. Pauli. Hamburg 1983, S. 89 f. - Zur Hilfestellung in der Turnhalle wurden jüdische Schüler herangezogen (StH, 362-6/10 Talmud-Tora-Schule, 75).

112 Vermutlich Regina van Sons Schwägerin Emma Levy geb. van Son, vgl. Anm. 59.

113 David van Son, vgl. Anm. 68.

114 Vermutlich Regina van Sons Schwägerin Recha Oettinger geb. Rau, vgl. Anm. 16.

an mich denken. Da kommt mir das halbe Paket von Pels[115], das an Frau Dr. C[arlebach]s Adresse geht, sehr gelegen. Davon habe ich doch etwas zum Mitnehmen. Frau Ehrlich hat den ganzen Morgen in B[ehrend]s Küche Butterbrote gemacht, zugeklebt, nachdem sie eingewickelt waren, und auf jedes aufgeschrieben, was darin ist, ich meine, womit belegt. Helene [Behrend] sagte immer wieder, Frau E.[hrlich] ist eine Prachtfrau.

Vergaß ich nicht, Euch zu schreiben, daß Eddas Cousine und Familie mit müssen? Ich bin so zerstreut und weiß nicht, ob ich es schon geschrieben habe. Die Briefe sind immer für alle mit, ich kann nicht jedem extra schreiben. Vielleicht habe ich doch nicht recht gehandelt, daß ich mich zum [Deportationstransport nach Riga am] 4.12. angemeldet habe. So hätte ich wenigstens die B[ehrend]s in dem Ort gehabt, wo sie hinkommen. Dies Alleinsein ist entsetzlich, aber was soll ich tun? Du ahnst nicht, wie viel[e] Leute bei B[ehrends] heute zum Abschiednehmen waren. Paula R., die Schwester von Frau M., sah ich einen Augenblick. Ich muß immer an das Mädchen meiner Mutter denken, die auf Mamas Wunsch, sie müsse kommen, wenn Mama klingelt – Mama wollte Bedienung haben – sagte: „Und wer bedient mir?" So ähnlich wird es mir gehen, wenn ich abdampfe. Allein, allein. Die B[ehrend]s schenkten mir noch eine wollene Decke, die sie über hatten – schön ist sie nicht – und einen Bettsack, der aber sehr klein ist. Frau P. hat heute noch nichts von sich hören lassen, kann aber ja noch kommen. Jedenfalls will ich mich jetzt ernstlich vorbereiten. Als erstes habe ich heute Nachmittag vier Paar Strümpfe gestopft. Aber es liegen noch viele [ungestopft]. Ich habe mir während des ganzen Krieges noch keinen Bezugsschein für Strümpfe geholt, sondern meine immer wieder gestopft. Heute ist Jahrzeit für unsere Martha.[116] Mein kleines Licht, das Manfred mir damals, als Hugo[117] starb, schenkte, brennt. Wenn ich irgend kann, gehe ich morgen nach Ohlsdorf und mache alles in Ordnung für die Jahrzeitstage. Ich werde es erstmal für drei Jahre machen. Dann wird es schon irgendwie weitergehen. Ich will auch, wenn ich mich nur dazu aufschwingen kann, morgen, wenn ich von Ohlsdorf zurückkomme, an Marga, Edith und Hilde schreiben. Ich möchte so gern noch viel erledigen, aber die Zeit ist immer zu kurz. Daß die 83jährige Bekannte von Dir jetzt besser gehen [kann] als vor ihrem Beinbruch, ist doch sehr erfreulich und endlich mal etwas Gutes. Daß sie mit ihren Augen zu tun hat, ist tragisch. Ich lese eben Deinen Brief noch mal durch, um zu sehen, was ich noch beantworten muß. Die Haarnetze habe ich doch sicher mit Dank schon bestätigt, oder sollte ich es vergessen haben? Wie schön, daß ihr

---

115 Regina van Sons Freundin Caecilie Pels geb. Cohn (geb. 1882 in Hamburg) war Anfang 1940 mit ihrem Ehemann Ludwig Pels nach Kopenhagen emigriert, wo bereits die Tochter Martha (verheiratete Kurzweil) lebte (StH, 522-1 Jüdische Gemeinden, 992 b. – Manfred Vanson, wie Anm. 1).

116 Martha Cohn geb. Oettinger, Regina van Sons 1937 verstorbene Schwester. – Jahrzeit: vgl. Anm. 12.

117 Regina van Sons verstorbener Ehemann, vgl. Anm. 12.

gemütlich klönen könnt. Ich habe bald keinen mehr dazu. Meine Wirtin ist gewiß nett, hat aber großen Naches[118] von meiner Reise und erzählt es jedem ungefragt. Ich hasse das. Grüße Deine Agnes, es geht auch ohne Telephon, finde ich. Das ist noch nicht das Schlimmste.[119]
Ich habe heute einen richtigen Kater. Es war ein bißchen viel für mich die letzten Tage. Trotzdem will ich Dir, mein liebes gutes Clärchen, zu Deinem Geburtstag alles nur erdenkliche Gute wünschen, Gesundheit und Freude an Deinen Kindern und an Deinem Martin Paul.[120] Sieh mal, Kinder und Enkel um sich zu haben, ist doch etwas Wundervolles. Was gäbe ich darum, könnte ich meine nur noch einen Augenblick sehen! Ich gebe mich selten diesen schwarzen Stimmungen hin, morgen bin ich vielleicht schon wieder obenauf. Sei gegrüßt, liebe Cläre und grüße alles Grüßbare, das Dich besucht. Meine Briefe sind für alle mit.

In großer Liebe,

Deine Dir stets und immer alles Gute wünschende

Regina

Ihr denkt doch sicher daran, daß Walter die doppelten Marken bekommt? Nicht wahr?[121]

Fortsetzung des Briefes

18.11.41

Habe ganz gut bis ½ 6 [Uhr] geschlafen und stand gleich auf, wachte nur um 1 ¼ [Uhr] einen Augenblick. Das Schlimmste für mich war, daß Sonnabendabend nach [ein unleserliches Wort], [als] ich so viel zu tun hatte, die Zahnärztin, die sonst sehr nett zu meiner Wirtin und mir ist, mir noch Gedichte von Morgenstern und C.[onrad] F.[erdinand] Meyer vorlas. Sie behauptete, Herbert benutze sie als Medium, wenn er sich bemerkbar machen will. „Mich ist eins", wie die Kinder aus dem Kinderhort von Helene Rieck zu sagen pflegten, wenn ihnen etwas putt-egal war. Die B[ehrend]s hatten einen Koffer voll Lebensmittel, der ihnen ein paar Monate zugute kommen wird. Ich habe leider solche Freunde nicht, wie sie sie haben. Aber nur keine Haferflocken, Graupen, Grieß schicken! Haben wir alles hier.

---

118 Jiddisch: Spaß, Vergnügen; hier wohl im Sinne von Begierde an der Weitergabe der Nachricht.

119 Aufgrund einer Anordnung des Reichspostministers vom August 1940 wurden die Fernsprechanschlüsse der Juden mit wenigen Ausnahmen gekündigt. Im Dezember 1941 verbot die Gestapo ihnen auch die Benutzung öffentlicher Fernsprechstellen. Vgl. Leo Lippmann, Mein Leben und meine amtliche Tätigkeit, wie Anm. 19, S. 679.

120 Wahrscheinlich ein Enkelkind von Claire Oettinger geb. Seckel.

121 Vermutlich Reginas Neffe Walter Schapiro, der Briefmarken sammelte; vgl. Anm. 10.

14

Absenderin: Regina van Son, Hamburg
Empfängerin: Claire Oettinger geb. Seckel, Amsterdam

18.11.41

Meine liebe Cläre.

Eben komme ich todmüde aus Ohlsdorf[122] zurück, wo ich heute an Marthas Jahrzeitstag war.[123] Ich bin viel hin und her gelaufen und war natürlich bei Joseph[124], was ich Recha[125] zu sagen bitte. 75 Steine habe ich aufgelegt[126], auch bei Immanuel Plato[127] und Dr. Spitzer[128]. Ich monierte, daß bei Mo[129] die Goldbuchstaben, die ich doch schon lange bezahlt habe, noch nicht gemacht sind. Ich traf Herrn M.[130], der jetzt für alles vom Bureau dort sorgt, mit meinem Wirt kurz vor der Hochbahnhaltestelle und sagte es ihm. Er kam vom Hannöverschen Bahnhof zurück, wo er beim Transport geholfen hatte, und sagte zu mir: „Wenn Sie das Elend da gesehen hätten, wären Ihnen die Goldbuchstaben auch schnuppe."[131] Das glaube ich gern, aber ich will doch alles, was ich bezahlt habe, gern in Ordnung haben. Kannst Du mir das verdenken? Ich habe meine Geburtstagstabelle, wo ich mir alles, wie ich am schnellsten zu den Gräbern gehe, aufgeschrieben [habe], verlegt und mußte heute, da ich das Grab von Ludwigs Mutter suchte und nicht finden konnte, noch mal ins Bureau, um mir die Reihe sagen zu lassen. Ich habe 56 Mark 75 Pfennig bezahlt, was Ludwig mir einschickte, und statt einer Hecke, wie verabredet, sind kleine mickrige Lebensbäume gepflanzt worden. Aber es ist wenig [dagegen] zu machen. Jedenfalls schicke ich Dir die Quittungen ein; für drei Jahre, den 28.12. nicht mitgerechnet, ist also vorgesorgt. Ich glaube, das genügt erstmal; dann kommt doch

---

122 D.h. vom Jüdischen Friedhof im Hamburger Stadtteil Ohlsdorf.

123 D.h. am vierten Jahrestag des Todes von Regina van Sons Schwester Martha, vgl. Anm. 116.

124 D.h. am Grab von Joseph Oettinger, des 1929 verstorbenen Ehemanns von Recha Oettinger geb. Rau.

125 Recha Oettinger geb. Rau, vgl. Anm. 16.

126 Nach jüdischem Brauch werden kleine Steine auf die Grabmale der besuchten Gräber gelegt.

127 Rabbiner Dr. Immanuel Plato, 1863-1937

128 Dr. Samuel Spitzer (1872-1934), 1910-1934 Oberrabbiner des Synagogenverbandes in Hamburg.

129 Gemeint ist der Grabstein von Dr. med. Moritz Oettinger, des 1933 in Hamburg verstorbenen Bruders von Regina van Son, genannt „Onkel Mo".

130 „Herr M.", der für den Friedhof zuständige Mitarbeiter des Jüdischen Religionsverbandes Hamburg, konnte nicht identifiziert werden.

131 An diesem Tag hatte die Gestapo den zweiten Hamburger Deportationstransport nach Minsk durchgeführt. Auf dem Hannöverschen Bahnhof (am heutigen Hinrich-Lohse-Platz) mussten 408 jüdische Männer, Frauen und Kinder den Zug besteigen. Er bestand aus völlig verschmutzten alten Personenwagen aus der Tschechoslowakei und besaß keine Wasserleitung. In jedes Abteil wurden zehn Personen gedrängt. Die Fahrt begann am Nachmittag und dauerte mindestens fünf Tage (StH, 731-6 Zeitgeschichtliche Sammlungen, III 25). Fast alle Deportierten wurden ermordet. Vgl. Hamburger jüdische Opfer des Nationalsozialismus, wie Anm. 34, S. XIX.

hoffentlich eine friedvollere Zeit, und Du wirst Dich selbst um alles kümmern können.
Mit vielen Grüßen für alle – das Päckchen ist für Anita[132] – bin ich Deine

Regina

Zusatz von Herbert N. Kruskal, Scheveningen

25. November 1941

Meine Lieben,

ich sende Euch drei Briefe von Tante Regina. Gestern erhielt ich von ihr eine eingeschriebene Karte vom 20. d[iese]s [Monats]. Anscheinend verzieht sie am 4. XII. von zu Hause. G'tt gebe ihr weiter Kraft und ein gesundes Wiedersehn mit allen ihren Lieben. Wir sandten ihr heute nochmals Liebesgaben: 2 Büchsen Kondensmilch, 2 [Büchsen] Sardinen, Jam und Kakao; hoffentlich erreicht sie alles bei Zeit[en], und hoffentlich hat sie es nicht nötig. Mein Freund [Oberrabbiner] Dr. Carleb.[ach] soll sich mit Familie ebenfalls freiw.[illig] zum Umzug gemeldet haben, um seine Mitglieder nicht allein zu lassen. Ich habe keine Bestätigung, aber alles Schöne und Gute und Große ist ihm zuzutrauen. Vielleicht gelingt es Tante Regina doch noch, Erlaubnis f.[ür ihren Umzug nach] hier zu bekommen. Anita[133] sandte uns auch Ernst L.'s[134] zweiten Rundbrief. Alle Vergleiche hinken, und dieser besonders, aber es kam mir beim Lesen vor, als läse ich einen Brief von Franz Rosenzweig[135]. Grüßet Ernst und Gretel[136], wenn ihr mal schreibt. Papa, Edda und den Kindern geht es g.[ott]l.[ob] gut.

In Liebe

Euer Herbert

[P.S:] Is. Lange hat nun auch Cuba-Visen erhalten, wie er mir gestern telefonisch sagte.[137]

---

132 Anita Oettinger geb. Mainz, geb. 1908, Schwiegertochter von Regina van Sons Schwägerin Claire Oettinger. Anita Oettinger war 1934 mit ihrem Ehemann Hans und dem Sohn Martin Arnold nach Amsterdam emigriert (vgl. Anm. 78).

133 Vgl. Anm. 132.

134 Dr. Ernst Loewenberg, vgl. Anm. 84.

135 Philosoph und Pädagoge (1886-1929).

136 Dr. Ernst und Gretel Loewenberg, vgl. Anm. 84.

137 Isaak Lange, vgl. Anm. 109.

15

Absenderin: Regina van Son, Hamburg
Empfänger: Leo N. Kruskal, Scheveningen

Postkarte

Einschreiben

Familie Leo Kruskal[138]
Scheveningen, Holland
Mechelsche Straat 8

Hmb., 20.11.1941

Meine Lieben.

Mir kommt es Ewigkeiten vor, daß ich Euch zuletzt geschrieben und von Euch gehört [habe]. Vielleicht finde ich Post vor, wenn ich nach Hause komme. Ich war schon vor 9 [Uhr] in der Beneckestr., um Herrn Dr. P.[laut] zu sprechen, auf Herberts zweiten Eilbrief hin.[139] Leider ist er heute verreist. Ich muß morgen noch mal mein Glück versuchen. Hoffentlich geht es Euch trotz allem so gut wie mir. Nur schlafen kann ich nicht so gut wie sonst, aber das wird auch schon wieder kommen. Meine diversen Briefe an die anderen bekommt Ihr doch hoffentlich immer zugeschickt, damit

Ihr über mich im Bilde seid. Ich wußte für heute nicht mehr zu schreiben und bin mit den allerbesten Grüßen

Eure Euch liebende Regina

Besondere Grüße und Küsse für die gel.[iebten] Kinder.

---

138 Leo N. Kruskal (1862-1954), Ehemann von Regina van Sons Schwester Ernestine (Erna) Kruskal geb. Oettinger.

139 In den Gebäuden Beneckestraße 2 und 6 befand sich die von Dr. Max Plaut geleitete Verwaltung des Jüdischen Religionsverbandes Hamburg.

16

Absender: Herbert N. Kruskal, Scheveningen
Empfängerin: Regina van Son, Hamburg

Liebe Tante Regina,

ich erhielt zuletzt Deinen Brief vom 10. ds. [Monats] und sah gestern bei Herbert und Hans [Oettinger] Deine Karte vom 14. ds. [Monats], und Betti[140] las telefonisch einen gerade eingegangenen Brief vor. – Ich hatte Dir die letzte Woche nicht geschrieben, um keinen Kuddelmuddel zu machen; Herbert O.[ettinger] hielt mich auf dem Laufenden mit der mit Dir gehabten Korrespondenz. Es ist schön, daß nun Dr. Pl.[141] sich Deiner Sache annimmt, und hoffentlich wird sein Rat und Deine unermüdliche Tüchtigkeit es fertig bringen, daß unser Gesuch genehmigt wird und wir Dich bald hier bei uns sehen. – Deinen Passus, daß Du Dich angeboten hast, am 4. nächsten Monats umzuziehen,[142] verstehen wir nicht. In Deiner leidenden Verfassung wäre unseres Erachtens in dieser Jahreszeit jeder Umzug beschwerlich, und wenn Du nicht mußt, würde ich Dir doch empfehlen, möglichst bis zum Frühjahr zu warten. – Was sagt Dein Arzt zu Deiner Nierengeschichte? Wir bewundern Deine Briefe und Deine Haltung und wünschen Dir von Herzen, daß Du bleibst wie Du bist und m[it] G[ottes] H[ilfe] bald die lieben Deinen wiedersiehst. Letzte Woche schrieb ich [Frau]

Dr. C.[arlebach][143] und sandte ihr ebenfalls etwas Anjovis[144] und Sprotten (saure, nicht geräucherte); hoffentlich freuen er und sie sich damit, das ist der einzige Zweck.
Von Eddas Tante und Onkel (auch Hannas Tante und Onkel) bekommen wir sehr erregte und erregende Briefe; wir haben ihretwegen an Naftali Stern und Söhne[145] telegrafiert, aber selbst wenn sie Cuba-Visen besorgen können, scheint es ja zweifelhaft, ob sie [eine] Ausreisegenehmigung [für Dich] erhalten; wir sind nicht orientiert und hoffen jedenfalls das beste. – Heute vor sechs Jahren warst Du mit Onkel Hugo auf unserer Hochzeit. – Letzten Dienstag habe ich aufgehört, um Mama Kaddisch zu sagen.[146] So vergeht die Zeit und wir mit. Aber wir wollen vorwärts sehen und Hoffnung behalten, und es wird m[it] G[ottes] H[ilfe] alles gut kommen. Ich habe gestern auch mit Herbert und Hans wegen

---

140 Betty Oettinger geb. Ettinghausen, Herbert Oettingers Ehefrau, vgl. Anm. 78.

141 Dr. Max Plaut, vgl. Anm. 56 und 59.

142 D.h. Regina van Son hatte sich freiwillig für den zum 4.12.1941 angekündigten Deportationstransport nach Riga gemeldet. Dieser Transport verließ Hamburg am 6.12.1941 mit 753 Menschen. Fast alle wurden ermordet. Vgl. Hamburger jüdische Opfer des Nationalsozialismus, wie Anm. 34, S. XIX.

143 Charlotte (Lotte) Carlebach geb. Preuss, geb. 16.12.1900 in Berlin, Ehefrau des Oberrabbiners Dr. Joseph Zwi Carlebach, vgl. Anm. 14.

144 Anschovis: gesalzene Sardellen.

145 Nicht identifiziert.

146 Das jüdische Gebet für Verstorbene. Herbert Kruskals Mutter (Regina van Sons Schwester Erna) war 1940 in Scheveningen verstorben (Manfred Vanson, wie Anm. 1).

weiterer Zuwendungen an Dich gesprochen, und Du wirst demnächst [das Gleiche] wie bisher erhalten. Sei von Papa, Edda und mir herzlichst gegrüßt.

Dein

[Herbert N. Kruskal]

27. 11. 41.

Meine Lieben Alle. Dein Brief l. Herbert erreichte mich heute morgen u. freute ich mich, wie imm sehr damit. Tante Clära muss entschuldigen, wenn ich eingeschrieben geschrieben habe. Uns ist immer so, als ob dieser Sturm im Wasserglas unsertwege Euch auch in Sorgen versetzen könnte u. deshal tat ich es. Ich will mich aber bessern u. ihr nicht wieder eingeschrieben schreiben. Wenn Du, l. Herbert schreibst, Du bewunderst meine Haltung geht es mir wie ein Stich durchs Herz. Ich bin wie eine kleine Maus in der Falle die sich vergebens nach einem Ausweg umsieht u. hier hin u. dorthin läuft, um zu sehen, was nun zu machen ist. Aber seid alle beruhigt ich hab mich nach der grossen Enttäuschung schon wiede gefunden, schlafe ganz gut u. wenn mein Appetit auch nicht übermässig gross ist, so schmeckt e doch hin und wieder. Schrieb ich, dass ich mit Frau Dr C zusammen ein wunderbares Paket (jeder die Hälfte) vorige Woche von Fels aus Rosenberg bekam. Die älteste Tochter brachte mir vorigen Donnerstag die Paketadresse u. mein Wi war so liebenswürdig, es zu holen u. dann schlepp te ich es im wahren Sinn des Wortes zu Frau Dr. denn sie sollte teilen. Es waren drin eine Roula aus Fleisch, die wir teilten, für jeden eine Wurst sehr schön gross u. für jeden 1 schönes Stück Käse u für jeden 3 Äpfel, die herrlich schmeckten. Da 2a

17

Absenderin: Regina van Son, Hamburg
Empfänger: Herbert N. Kruskal, Scheveningen

27.11.41

Meine Lieben alle.

Dein Brief, lieber Herbert, ereichte mich heute morgen, und freute ich mich wie immer sehr damit. Tante Cläre muß entschuldigen, wenn ich eingeschrieben geschrieben habe. Uns ist immer so, als ob dieser Sturm im Wasserglas unsertwegen Euch auch in Sorgen versetzen könnte, und deshalb tat ich es. Ich will mich aber bessern und ihr nicht wieder eingeschrieben schreiben. Wenn Du, lieber Herbert, schreibst, Du bewunderst meine Haltung, geht es mir wie ein Stich durchs Herz. Ich bin wie eine kleine Maus in der Falle, die sich vergebens nach einem Ausweg umsieht und hierhin und dorthin läuft, um zu sehen, was zu machen ist. Aber seid alle beruhigt, ich habe mich nach der großen Enttäuschung schon wieder gefunden, schlafe ganz gut, und wenn mein Appetit auch nicht übermäßig groß ist, so schmeckt es doch hin und wieder. Schrieb ich, daß ich mit Frau Dr. C.[arlebach][147] zusammen ein wunderbares Paket (jeder die Hälfte) vorige Woche von Pels aus Copenhagen bekam? Die älteste Tochter[148] brachte mir vorigen Donnerstag die Paketadresse und meine Wirtin war so liebenswürdig, es zu holen, und dann schleppte ich es im wahren Sinn des Wortes zu Frau Dr. C.[arlebach], denn sie sollte teilen. Es waren darin: eine Roulade aus Fleisch, die wir teilten, für jeden eine Wurst, sehr schön groß, und für jeden ein schönes Stück Käse und für jeden drei Äpfel, die herrlich schmeckten. Da zwei davon sehr angegangen waren, teilte ich Freitagmittag und Freitagabend je einen mit meinen Wirten, den dritten habe ich ganz still und heimlich allein an zwei Tagen aufgegessen. Schließlich bin ich doch sehr verfressen. Mit Hanna ist leider alles überholt. Sie mußte mit der Familie ihres Onkels wie meine Freundinnen, die B[ehrend?]s,[149] am 17. da [d.h. am Sammelplatz des Deportationstransports] sein; sie fuhren erst am 18. nachmittags. Ich vergaß noch zu sagen, daß meine Fleischsachen auf dem Balkon zur Ausreise [bereit] liegen, und der Käse, eingewickelt in ein nasses Tuch, in der Speisekammer [liegt]. Gestern sollte ich nach Ohlsdorf kommen; mir war angesagt, es sollten drei Teharas[150] sein. Aber da der Hilfsverein[151] mir wegen Josis Depeche geschrieben

---

147 Vgl. Anm. 14 und 143.

148 Ruth Carlebach, geb. 11.8.1926 in Altona, vgl. Anm. 14.

149 Dem Transport nach Minsk vom 18.11.1941 gehörten Edith Behrend, geb. 24.5.1880, Elsa Behrend, geb. 13.2.1879, Helene Behrend, geb. 3.2.1883, und Martha Behrend, geb. 3.12.1881, an. Vgl. Hamburger jüdische Opfer des Nationalsozialismus, wie Anm. 34, S. 25 f.

150 Tehara: Waschung und Bekleidung eines Leichnams vor der Bestattung nach jüdischer Religionsvorschrift.

151 Vermutlich der Hilfsverein der deutschen Juden.

hatte, [dort] hinzukommen, telephonierte ich ab und ging in die Beneckestraße[152]. Ich schrieb ausführlich darüber an Herbert Oe.[ttinger]. Die Briefe sind immer für alle mit, ich kann nicht immer dasselbe schreiben. Ich muß mir alles jetzt selbst in Ordnung bringen, denn meine Näherin hat viel mit Abreisenden zu tun.[153] Dann schrieb ich an Dora und Josi[154] und verbot ihnen, noch irgendetwas für mich zu tun. Es ist doch rausgeworfenes Geld, und schade ist es darum. Ich bedankte mich aber sehr für ihre Liebe und Treue. Mein Wirt war gestern Mittag auch angesagt draußen. Herr Dr. C.[arlebach] war auch da und sagte, daß er zum letzten Mal an dieser Stätte spräche.[155] Meine liebe Wirtin geht deswegen immer in Tränen herum. Ich glaube, C[arlebach]s fahren am 4.12.[156]

Inzwischen haben wir gegessen, und mein lieber Tischgenosse Herr S. hat eben meiner Wirtin eine Scene meinetwegen gemacht. Sie hätte ihm ruhig sagen können, daß ich nicht am 4.12. fahre. Er hat nämlich gehört - er hört leider wie ein Specht -, daß heute Vormittag die Hausdame von Herrn Alfred L. bei mir war und sagte, daß sie hoffe, mit dem letzten Transport am 12.12. zu fahren.[157] Nachher hat er gesagt, Herr S. nämlich, es führe kein Transport am 4.12. Woher seine Weisheit stammt, verrät er nicht; ich fragte, ob [er es] von seinem Neffen [wisse], worauf er verneinte. Ich vergaß gestern in meiner Abgejagtheit, Herbert Oe[ttinger] zu schreiben, daß Herr Dr. P.[158] neulich sagte, er wolle sehen, ob es zu machen ginge, daß ich auch am 12.12. erst fahre. Es wäre mir sehr sympathisch, denn dann habe ich etwas länger Zeit für meine Vorbereitungen. Ich danke Dir, lieber Herbert Oettinger, für Deine Karte vom 21.11.41. Es ist besonders lieb von Dir, meinen Wunsch zu erfüllen und [Dr.] M.[ax] P.[laut] direkt zu schreiben. Wenn es mir auch nichts nützt, wäre ich Dir trotzdem sehr dankbar, wenn Du für Ruths Klassenkameradin alles tust, was zu tun ist. Wie geht es Euch und den Kindern allen? Sowie ich etwas Neues weiß, schreibe ich wieder. Ich grüße und küsse Euch alle, alle, und bin in großer Liebe und Dankbarkeit

Eure

Regina

Ich gratuliere herzlich zu Eurem Hochzeitstag. Wann ist Jahrzeit von Erna? Ich schrieb Dora und Josi gestern schon dazu.

---

152 Vgl. Anm. 44.
153 D.h., sie half Empfängern des Deportationsbefehls.
154 Dora und Joseph (Josi) Schapiro; vgl. Anm. 8 und 9.
155 Vermutlich die Neue Dammtorsynagoge, Beneckestraße 4.
156 Vgl. Anm. 14.
157 Am 12.12.1941 wurde kein Deportationstransport durchgeführt.
158 Dr. Max Plaut, vgl. Anm. 56 und 59.

18

Absenderin: Regina van Son, Hamburg
Empfänger: Leo, Herbert und Edda Kruskal, Scheveningen

21.1.42

Meine Lieben.

Eure Karte vom 8.1. bestätige ich mit vielem Dank. Es tut mir leid, daß ich nicht zum 16.1. noch mal geschrieben habe, aber ich wußte nicht, daß das Dein [unleserliches Wort] Geburtstag ist, lieber Leo.[159] Jedenfalls freue ich mich, daß Du, lieber Herbert, nichts dagegen hattest, daß ich schon am 6. mir die Sardinen zum Gemüte gezogen. Sie waren aber sehr zahlreich, und wir essen mehrere Tage davon. Meine großen Neuigkeiten habt Ihr wohl schon von Recha[160] gehört. Ich bin noch ganz benommen und konnte mich zuerst gar nicht freuen. So ist man Großmutter, ohne es zu wissen.[161] Ilses Mann, Victor S.[avinkov], war früher Maler und ist jetzt Gärtner. Ilses Freundin; Frau A. M. Zevesjar, p.[er] Adr.[esse] Aeschlimann, Luisenhof, schrieb, daß beide sehr fleißig seien, daß der Garten, den er bewirtschaftet, sehr schön sei, und daß sie ein nett eingerichtetes Häuschen hätten. Daß der Junge Herbert heißt, freut mich enorm. Ilse versprach es damals Hugo und mir, als mein [Sohn] Herbert von uns gegangen, daß, wenn sie je einen Jungen bekommen, sie ihn Herbert nennen würde, und wenn es auch nur mit dem zweiten Namen ist, freue ich mich doch. Unsere Briefe hatten sich gekreuzt, liebe Edda.[162] Du hast ja sicher mittlerweile meinen vom 11.1. bekommen, wo ich den Befund der Ärztin einlegte. Selma schrieb in ihrem letzten Brief an mich etwas pikiert, daß sie nie von Josi und Dora Antwort bekommen [hat], als sie sich bei ihnen erkundigte, wie es Dir, lieber Leo, und Deinen Kindern und Enkeln geht. Ich habe meinen Jüngsten gebeten, es ihr zu sagen. Daß mein kleiner Herbert am 26.12.41 das Licht der Welt erblickte, schrieb ich schon in dem Brief an Recha. Der Brief von Ilses Freundin ist am 11.1. geschrieben. Wie gern würde ich viel fragen. Aber es heißt sich immer [zu] gedulden. Ich bin zu zappelig, um heute mehr zu schreiben. Nehmt dafür nur für

---

159 Leo N. Kruskal, vgl. Anm. 138.

160 Regina van Sons Schwägerin Recha Oettinger in Amsterdam, vgl. Anm. 16.

161 Regina van Sons Tochter Ilse Savinkov geb. van Son lebte mit ihrem Ehemann Victor im unbesetzten Südfrankreich (Bandol bei Toulon) und war jetzt Mutter eines Sohnes (Serge Herbert) geworden (Manfred Vanson, wie Anm. 1).

162 Edda Kruskal geb. Gradenwitz, vgl. Anm. 17.

heute herzliche Grüße von Eurer Euch sehr liebenden und sich sehr nach Euch allen sehnenden

Regina

Einem En Dit[163] zufolge soll Herr Dr. C.[arlebach] auf einem Gut bei Riga [namens] „Fasanenhof“ sein. Ob es stimmt, weiß ich nicht.

---

163 Gerücht.

19

Absenderin: Regina van Son, Hamburg
Empfängerin: Käthe Vaucher, Basel, zur Weiterleitung an Manfred van Son, London, und Margot[164]

26.1.42

Liebe Frau Käthe, liebes Julchen, Ihr lieben andern alle und liebe Margot.

Ihre Karte, liebe Frau Käthe, und mein ausführlicher Brief vom 21.1. haben sich gekreuzt, und danke ich Ihnen herzlich für Ihre lieben Zeilen. Wie schön, daß Ihre liebe Mutter wieder spazieren gehen und die Natur genießen kann. Ich weiß, daß das ihr stets große Freude machte, als Julchen und mein lieber Mann sie noch begleiten konnten. Leider habe ich noch keine Adresse von Helene bekommen und werde gleich heute an Helenes Schwägerin deswegen schreiben. Hoffentlich sind Sie von Ihren Weihnachtsferien recht gekräftigt zurückgekommen. Es ist so viel einfacher für mich, wenn ich Euch allen zusammen schreiben kann; ich weiß,

---

164 Vermutlich Margot Cohn, eine Tochter von Regina van Sons Schwester Martha Cohn geb. Oettinger.

Ihr laßt den Brief von Hand zu Hand gehen, und ich spare viel Zeit und Porto. Das Briefschreiben reißt bei mir nie ab. Dein letzter Brief, liebe Margot, erreichte mich letzten Freitag, und freute ich mich nach langer Pause enorm damit. G[e]rade denselben Morgen fand ich in meiner Schreibmappe einen Brief an Euch, der seit vorigem Purim[165] darin liegen geblieben war und den ich wohl übersehen hatte. Ich schrieb darin, daß ich am letzten Jahrzeitstag Eurer lieben Mutter, am 18.[11.1941], in Ohlsdorf war, um alle Gräber unserer Lieben zu besuchen und um Abschied zu nehmen, denn am 4.12. sollte auch die Reisestunde für mich schlagen. Aber ich erkrankte an einer Nierencholik und konnte infolgedessen nicht fahren. Sehr viele Bekannte und liebe Freunde von mir fuhren mit, und ich bedauerte es richtig, nicht mit ihnen zugleich reisen zu können – Dr. C.[arlebach] mit seiner Familie, die auf einem Gut bei Riga [namens] „Fasanenhof" gelandet sein sollen, eine gute Freundin von mir, Frau Ehrlich[166], die viel mit ihrem Mann und Onkel Hugo musizierte, und viele andere. Meine Freundinnen, die Schwestern von Dr. Roland B.[ehrend][167], fuhren schon früher. Sie sind fabelhaft tüchtige und im Leben stehende Menschen, und zwei der Schwestern, Helene und Martha[168], setzten es durch, daß der Bruder, der nicht ganz kapitelfest mit der Lunge ist, mit seiner Frau hier bleiben konnte. Ich war glücklich, daß ich meinen Freundinnen noch etwas helfen konnte, indem ich für sie zum Mitnehmen Verschiedenes backen konnte.
Unsere gemeinsame Freundin Frau Ehrlich strich am letzten

Morgen den ganzen Vormittag Butterbrote für sie. Ich kann Euch nicht schildern, wie lieb Eure Tante Cäcilie[169] stets gegen mich ist. Erst schickte sie mir ein Paket, [für mich] mit Dr. C.[arlebach] zusammen, das mein Wirt holte. Zur geplanten Reise hatte sie mir auch schon etwas geschickt, und auch meinen Wirten ein großes Paket aus Copenhagen. Dann bekam ich die Hälfte eines Paketes, das an meine Schwägerin Elsa[170] adressiert war. Ich bin ihr sehr, sehr dankbar dafür. Besuche auch immer regelmäßig, wenn ich draußen [auf dem Friedhof in Ohlsdorf bin], die Gräber Eurer lieben Großeltern, liebe Margot. Willst Du bitte Ludwig[171] sagen, daß, als ich neulich das Grab seiner Mutter, auch am 18., inspizieren wollte, um zu sehen, ob die neue Hecke gepflanzt sei, ich meinen Leitfaden für Ohlsdorf – ich finde mich immer nach der Geburtstagstabelle zurecht – vergessen hatte und noch mal ins Bureau mußte, um mir die Reihe und Nummer sagen zu lassen. Ich war etwas enttäuscht von

---

165 Freudenfest zur Erinnerung an die Rettung der persischen Juden vor dem Anschlag Hamans.

166 Emmi Ehrlich geb. Sonn, geb. 3.5.1880, wurde am 6.12.1941 nach Riga deportiert und ermordet. Vgl. Hamburger jüdische Opfer des Nationalsozialismus, wie Anm. 34, S. 86.

167 Dr. Roland Behrend, geb. 20.3.1875 in Hamburg, wurde am 15.7.1942 nach Theresienstadt deportiert und starb dort am 22.3.1943. Vgl. Hamburger jüdische Opfer des Nationalsozialismus, wie Anm. 34, S. 26.

168 Helene und Martha Behrend, vgl. Anm. 110.

169 Caecilie Pels geb. Cohn, vgl. Anm. 115.

170 Elsa Perlmann geb. van Son, vgl. Anm. 11.

171 Ludwig Pels, vgl. Anm. 115.

der Hecke, denn es waren kleine Lebensbäume, aber mir wurde im Bureau versichert, daß sie später sehr schön werden würden, und so muß ich mich zufrieden geben. Und nun eine große Neuigkeit zum Schluß, meine Lieben. Heute vor acht Tagen erhielt ich von einer Freundin von Tochter Lochter[172] die Mitteilung, daß sie schon einige Zeit, ungefähr ein Jahr, verheiratet sei und am 26.12.41 einen Jungen bekommen habe, der Herbert heißt. Und so bin ich zum ersten Mal Großmutter. Ihr werdet Euch sicher mit mir freuen. Sonst weiß ich nichts zu berichten. Die Abreisen[173] sind vorläufig aufgeschoben, und ist das ganz gut für mich, denn ich habe viel mit Rheumatismus im rechten Arm zu tun. Ich habe mich mit allen Grüßen von Deinen Lieben sehr gefreut, liebe Margot[174], und freue mich, daß mein letzter Brief gerade am Geburtstag Deines lieben Mannes ankam. Leider habe ich nie Zeit, die Geburtstagstabelle zu studieren, sonst hätte ich dazu natürlich gratuliert. Schnäbelche[175], mein Mitpensionär, ist augenblicklich mit meinen Wirten böse und straft uns, indem er die Mahlzeiten in seinem Zimmer einnimmt. Hoffentlich dauert dieser Zustand noch recht lange an. Den Geburtstagskindern im Februar und März sage ich nochmals innigste Glückwünsche, denn sobald schreibe ich nicht wieder. Cäcilie[176] schreibe ich auch noch heute nach Copenhagen. Bleibt alle gesund und vergnügt wie ich es bin. Meine Wirte sind ganz reizend zu mir, und ich fühle mich sehr wohl hier. Gestern habe ich da, wo Herr Sonn früher wohnte, bei einer Cousine von Frieda L. und Siegmund, der

Schwiegermutter von Dr. Bamberger[177], Bridge gespielt, und war es sehr nett. Frl. Helene Flörsh.[eim][178] und Frau Dina S.[179] spielten mit.
Viele innigste Grüße und Küsse für Euch alle. Dir und Deinen lieben Schwestern, liebe Margot, einen besonderen Kuß von Deiner

Regina

27.1.1942

Ich vergaß noch zu schreiben, daß meine drei Neffen in Holland, die beiden Herbert [Kruskal und Oettinger]

---

172 Gemeint ist Regina van Sons Tochter Ilse, vgl. Anm. 22.

173 D.h. die Deportationstransporte.

174 Vermutlich Margot Cohn, vgl. Anm. 164.

175 In den Einwohnermeldeunterlagen für die Parterrewohnung des Hauses Hartungstraße 12 ist außer Regina van Son und ihren Vermietern, den Eheleuten Meier, nur noch der Witwer Jacob Goldschmidt aufgeführt und kommt als einziger für die Identität mit „Schnäbelche" in Betracht. 14 Tage später starb er. Vgl. Anm. 7.

176 Caecilie Pels in Kopenhagen. Vgl. Anm. 115.

177 Nicht identifiziert.

178 Helene Flörsheim, geb. 12.5.1880 in Hamburg, wurde am 15.7.1942 nach Theresienstadt deportiert, von dort am 9.10.1944 nach Auschwitz gebracht und ermordet. Vgl. Hamburger jüdische Opfer des Nationalsozialismus, wie Anm. 34, S. 103.

179 Wahrscheinlich Dina Seligmann geb. Feiber, geb. 22.6.1879 in Frankfurt a.M. Sie wurde am 19.7.1942 nach Theresienstadt deportiert, von dort am 15.5.1944 nach Auschwitz gebracht und ermordet. Vgl. Hamburger jüdische Opfer des Nationalsozialismus, wie Anm. 34, S. 382.

und Hans [Oettinger] mir [eine] notariell beglaubigte Einreiseerlaubnis verschafften, und Dora und Josi ebenfalls.[180] Aber momentan gibt es keine Pässe, also mache Dir bitte keine Sorgen meinetwegen, liebe Margot. Alle Leute sind sehr, sehr gut zu mir, wie ich es gar nicht verdiene. Eben schrieb ich an Cäcilie und Ludwig[181] und will gleich trotz der Kälte zur Stadt.

Käthe Vaucher leitete den Brief mit folgenden Sätzen an Julie [Familienname unbekannt] weiter:

Liebe Julie,

ich benutze wieder gern die paar freien Zeilen, um Dir und den Deinen viele herzliche Grüße zu schicken! Wir stecken tief im Winter und Schnee. Im nächsten Monat hoffe ich, daß Mama ein bißchen nach Basel kommen kann, es macht ihr ja immer noch großes Vergnügen zu reisen.

Deine Käthe

---

180 Dora und Joseph Schapiro, vgl. Anm. 8 und 9.
181 Caecilie und Ludwig Pels in Kopenhagen, vgl. Anm. 115.

20

Absenderin: Regina van Son, Hamburg
Empfängerin: Käthe Vaucher, Basel, zur Weiterleitung an Manfred van Son, London

15.3.42

Meine liebe Frau Käthe und Ihr lieben anderen alle.

Euren Brief vom Januar habe ich mit großer Freude erhalten, und wenn ich jetzt erst antworte, dürfen Sie mir nicht böse sein. Was die Tochter von Ludwig P.[182] betrifft, so bitte ich Euch herzlich, alles für sie zu tun, was Ihr nur könnt. Ihre Mutter ist so engelhaft gut zu mir und zu vielen anderen, indem sie uns die schönsten Pakete schickt, daß ich gar nicht weiß, wie ich das je gutmachen soll. D.h. die Pakete kommen nicht von ihr, sondern von einem Cousin, aber sie sorgt großartig für uns alle. Und dabei – welche Bescheidenheit hat diese Frau. Ich habe ihr ja zu ihrem 60. Geburtstag geschrieben und auch andere veranlasst, ihr zu schreiben, und das findet sie schon etwas Besonderes. Habt Ihr nicht neulich nach ihrer Adresse gefragt? Die ist Kopenhagen, Dyrtob 3,

---

182 Vermutlich Irma Pels (geb. 1908), eine 1938 nach London emigrierte Tochter von Ludwig und Caecilie Pels (StH, 522-1 Jüdische Gemeinden, 992 b).

p. Adr.[esse] Margolinski. Alles, was Ihr mir schreibt, interessiert mich sehr. Nein, mein kleiner geliebter Junge, nie hätte ich Dir zugetraut, daß Du zwei Jungen vorbereiten kannst, und daß sie sogar Maftir gesagt haben.[183] Ich besuchte gestern Tante Emma in ihrem reizend eingerichteten Zimmer im Altenhaus[184] und zeigte ihr Euren Brief. Nachher traf ich Frau Ellen Hirsch[185], die jetzt mit Frau Dr. [Name unleserlich], der Schwiegermutter von Dr. Neufeld, ein Zimmer teilt, und erzählte ihr auch von Deinen Heldentaten. Ich bin sehr stolz auf Euch beide. Ich bin ganz platt, liebe Fränze[186], daß Du solch' entzückende Kostüme gemacht hast. Ich werde ja immer stolzer auf Euch beide. Beteiligt Ihr Euch immer an dem Antwortschein für Frau Käthe? Um mich braucht Ihr Euch überhaupt nicht zu sorgen. Meine Nierenschmerzen, [die ich] am Purim [hatte], sind ganz vorüber. Ich gehe auch immer eingepackt wie ein Eisbär. Frau Ehrlich hat mir von einer Dame, die in meiner Kindheit in der Hallerstraße mit uns im selben Hause wohnte, eine dicke gestrickte Jacke verschafft, und die trage ich unter meinem Wintermantel, und ich bin wirklich ganz warm. Auch das Heizkissen brauche ich nicht mehr. Auf meinen kleinen Herbert[187] bin ich mit Recht sehr stolz. Die glückliche Mutter hat mir zwei Bilder von ihm geschickt, als er 14 Tage alt war; eins [der Bilder zeigt] Mutterglück, das andere Vaterstolz. Von dem kleinen Wurm kann man zwar wenig sehen, aber die Mutter ist süß. Seit Februar geht sie schon wieder ihrer Beschäftigung nach. Daß Dora[188] Euch Süßigkeiten schickte, finde ich rührend nett. Ich hätte sie gut gebrauchen können. Ich muß zu meiner Schande gestehen, ich bin direkt verfressen. Anita und Tante Cläre[189] hatten mir unter anderen schönen Sachen zu meiner geplanten Abreise zwei große Tafeln Scho[kolade], Bonbons und Keks geschickt, und ich muß sagen, ich habe alles aufgegessen. Von Frau Picard[190], Schwester Theklas Mutter, mit der ich mich sehr angefreundet habe – ich besuche sie jeden Sonnabend und habe sie zur Wahlverwandten erwählt – bekam ich zu Purim sehr schöne Geschenke: einen Pappkarton mit herrlicher Marmelade, ein Puddingpulver und ein Samenpulver. Frl. Freymann[191] wohnt noch bei Tante

---

183 Gemeint ist die Vorbereitung auf die Religionsmündigkeit des jüdischen Jungen (Bar-Mizwa). Bei der Bar-Mizwa-Feier obliegt es dem Jungen, bestimmte Verse (Maftir) aus der Tora zu verlesen.

184 Emma Levy geb. van Son (vgl. Anm. 59). Im Altenhaus (Sedanstr. 23) herrschte qualvolle Enge. Die Bemerkung, das Zimmer sei reizend eingerichtet, ist als bittere Ironie zu verstehen, mit der die Postzensur getäuscht werden sollte.

185 Nicht identifiziert.

186 Regina van Sons Schwiegertochter Franziska Van Son in London, vgl. Anm. 5.

187 Der am 26.12.1941 geborene Sohn von Regina van Sons Tochter Ilse.

188 Vermutlich Dora Schapiro, vgl. Anm. 8.

189 Regina van Sons Schwägerin Claire Oettinger und deren Schwiegertochter Anita in Amsterdam, vgl. Anm. 34 und 132.

190 Frieda Picard geb. Hirsch, geb. 15.11.1875, die Mutter der Gemeindeschwester des Jüdischen Religionsverbandes Hamburg Thekla Picard. Am 19.10.1942 wurde Frieda Picard aus Hamburg nach Theresienstadt deportiert, wo sie am 27.10.1942 starb. Vgl. Hamburger jüdische Opfer des Nationalsozialismus, wie Anm. 34, S. 325.

191 Vermutlich die unverheiratete und nach damaliger Sitte als Fräulein bezeichnete Lehrerin Lilli Freimann, geb. 8.9.1886 in Berlin. Sie wurde am 11.7.1941 aus Hamburg nach Auschwitz deportiert und ermordet. Vgl. Hamburger jüdische Opfer des Nationalsozialismus, wie Anm. 34, S. 110.

Elsa[192], und noch zwei andere Damen. Perlmanns sind in die Rutschbahn ins sogenannte Kalkerstift gezogen.[193] Onkel Benno[194] betätigt sich, glaube ich, nur noch mit Besuchen im Krankenhaus. Das Sprechen zu 80sten, 90sten und 100sten Geburtstagen hat ihm der O.K.[195] untersagt. Ich ziehe am 25. März in die Bogenstr. 25[196] und werde ein Zimmer mit Frau John Benjamin[197] teilen. Meiers, meine jetzigen Wirte, ziehen [dort in] eine Etage unter mir, so daß ich weiter bei ihnen in Pension bleiben kann, was sehr angenehm ist. Wie geht es Rechas Ruth?[198] Grüße sie herzlich von mir. Sind unsere Geburtstagswünsche rechtzeitig angekommen? Max und Paula haben mir zu Deinem Geburtstag gratuliert, und ich ihnen zum 19.2.[199] Ja, Ihr werdet gewiß staunen, daß ich Euch zu Hannas Jungen gratulierte. Max und Paula[200] schreiben, daß das auf einem Irrtum beruht hat. Dora hatte mir auch mal ein Paket avisiert, aber es kam leider nicht an. Nun bitte ich Euch noch, Clara[201] und Berta, Leo und Minnie[202], Frl. Julchen und alle anderen Lieben innigst von mir zu grüßen. Auch ich lebe in der Vorfreude, Euch wiederzusehen, und bin mit den besten Grüßen und einem kleinen bescheidenen Kuß

Eure Regina

[P.S.] Edith und Gerda gratuliere ich gleichfalls, und besondere Grüße für Fanny und Bernhard. Daß Rechas Ruth zu stolz ist, um Euch zu besuchen, glaube ich nicht; wieso sollte sie das sein? Du hast manchmal noch M[unleserlich], mein Kleiner. Benschst[203] Du Deine Kinder noch jeden Freitagabend? Ich [bensche] alle meine, und auch Klein-Herbert.

---

192 Elsa Perlmann geb. van Son, vgl. Anm. 11.

193 Benjamin (Benno) und Elsa Perlmann, vgl. Anm. 11. Das Minkel Salomon David Kalker-Stift, Rutschbahn 25, war eines der von der Gestapo bestimmten Massenquartiere, in denen die aus ihren Wohnungen ausgewiesenen Hamburger Juden in qualvoller Enge wohnen mussten (sog. Judenhäuser).

194 Benjamin (Benno) Perlmann, vgl. Anm. 11.

195 O.K. steht offenbar für Oberkommissar, womit der Leiter des Judendezernats Claus Göttsche gemeint sein dürfte.

196 Bogenstr. 25, eines der sog. Judenhäuser (vgl. Anm. 193). Regina van Sons Umzug und die anderen in diesem Brief erwähnten Umzüge wurden auf Anordnung der Gestapo veranlasst. „Auf Weisung der Aufsichtsbehörde [d.h. der Gestapo] musste vom Jüdischen Religionsverband Hamburg innerhalb verhältnismäßig kurzer Frist bis zum April 1942 die Umsiedlung der damals noch in Hamburg befindlichen circa 2400 kennzeichnungspflichtigen Juden so durchgeführt werden, dass bis auf 280 Juden [...] alle in wenigen, vom Religionsverband bewirtschafteten oder verwalteten Häusern untergebracht wurden.“ (Leo Lippmann: Mein Leben und meine amtliche Tätigkeit, wie Anm. 19, S. 679).

197 Witwe Helene Benjamin geb. Schönheimer, geb. 16.7.1875. Sie wurde am 15.7.1942 mit Regina van Son nach Theresienstadt deportiert und starb dort am 18.4.1943. Vgl. Hamburger jüdische Opfer des Nationalsozialismus, wie Anm. 34, S. 29.

198 Ruth Oettinger (geb. 1911), eine Tochter von Regina van Sons Schwägerin Recha Oettinger geb. Rau (StH, 522-1 Jüdische Gemeinden, 992 b).

199 Der Geburtstag von Manfred van Sons Ehefrau Franziska geb. Hirsch.

200 Max und Paula Hirsch, die Eltern von Manfred van Sons Ehefrau Franziska. Vgl. Anm. 18.

201 Clara Harris geb. Eppenheim, London, war eine Tochter von Regina van Sons Halbschwester Julie (Manfred Vanson, wie Anm. 1).

202 Leo Elton, ein Sohn von Regina van Sons Halbschwester Julie, und dessen Ehefrau Minnie geb. Fleischmann (1892-1974), beide in London (Manfred van Son, wie Anm. 1).

203 Jiddisch: segnest.

21

Absenderin: Regina van Son, Hamburg
Empfänger: unbekannt.

Hmb., 12. 7.42

Eben finde ich noch etwas, was ich gern für später in Euren Händen wissen möchte. Die Adressen meiner Kinder sind für Ilse: Fräulein Martha Aeschlimann, Burgdorf, Schweiz, Lindenhof. Ich schreibe immer „Liebes Frl. Martha, liebe Ilse“ und würde Ihnen auch raten, das zu tun. Für Manfred: Frau Käthe Vaucher, Basel, Schweiz, Rheinschanze 3. Da schreibe ich nur „Liebe Frau Käthe, liebes Julchen und Ihr lieben anderen alle“. Wenn ich je eine Botschaft schicken sollte, schreiben Sie nur von mir als Regina.
Mit den besten Grüßen für Sie und Ihre liebe Frau Mutter bin ich in Dankbarkeit und Verehrung

Ihre Regina van Son

Anlage

Mein Testament

Hierdurch setze ich als alleinige Erbin Frl. Marianne Wolff Hamburg 24, Erlenkamp 7, ein.[204]

Hamburg, 12. Juli 1942

Regina van Son

Bogenstr. 25 II.

---

204 Mit Erlass vom 27.11.1941 ordnete das Reichssicherheitshauptamt an, dass Juden eine Verfügung über ihr bewegliches Vermögen nur mit Erlaubnis der Gestapo treffen durften. „Sollten Juden ohne die notwendige Erlaubnis künftighin Verfügungen treffen, so ist selbstverständlich mit Schutzhaft [...] einzuschreiten. Ebenso ist jedoch auch gegen den deutschblütigen Erwerber die Inschutzhaftnahme anzuordnen, wenn sein Verhalten dies nach dem Runderlass betreffend Verhalten Deutschblütiger gegenüber Juden vom 24.10.1941 [...] rechtfertigt" (Vertrauliche Informationen der Partei-Kanzlei vom 3.1.1942. In: StH, 614-2/5 Nationalsozialistische Deutsche Arbeiterpartei und ihre Gliederungen, A 18 a). Ob Regina van Sons nichtjüdische Freundin Marianne Wolff aufgrund Regina van Sons Testament Repressalien ausgesetzt war, war nicht zu ermitteln.

22

Absenderin: Regina van Son, Hamburg
Empfängerin: Käthe Vaucher, Basel, zur Weiterleitung an Manfred van Son, London

13.7.1942

Liebe Frau Käthe, liebes Julchen und Ihr lieben anderen alle.

Morgen geht es fort von hier,
Da heißt's Abschied nehmen,
O Du allerliebste Zier (die allerliebste Zier kann jeder auf sich beziehen),
Scheiden, das macht Grämen.

Grämen tun wir uns gar nicht; wir sind alle vergnügt und sehen erwartungsvoll in die Zukunft. Gestern Abend hatten wir im Haus eine kleine Ansprache vom Vicen Herrn Meyer[205], der uns sagte, daß wir uns glücklich schätzen dürften, in eine wunderschöne saubere Stadt zu kommen, die nach der Kaiserin Maria Theresia benannt ist. Sie liegt im früheren Böhmen, zwischen Marienbad und Teplitz.[206] Auch sonst könnten wir froh in die Zukunft blicken, da wir vor allen anderen 50 Kilo Gepäck und Matratzen und Betten mitnehmen dürfen. Natürlich sind es keine [ruhigen] Tage für uns alle, denn man hat viel zu erledigen, aber es soll, wo wir hinkommen, eine sehr gesunde Gegend sein, und das ist ja die Hauptsache. Gestern Morgen stand ich 5 Minuten vor 5 auf, und heute morgen um ½ 5, denn ich habe heute Morgen noch meine zweiteiligen Matratzen zusammengenäht. Das muß sein. Ich hatte voriges Mal die Matratzen wieder auseinander getrennt. Ich bin wirklich guten Mutes, ich tue nicht nur so, das versichere ich Euch; ja, wobei soll ich es Euch versichern? Also - so wahr wie ich an ein Wiedersehen mit Euch allen, meine Geliebten, glaube, so wohl und fröhlich ist mir zumut.

Der Tag ist kurz und die Arbeit ist viel. Daher kann ich nicht mehr schreiben. Ihnen, liebe Frau Käthe, innigen Dank für alles; geben Sie diesen Brief auch dem kleinen M.[207] zu lesen, bitte. Daß Rolfs Mutter weg ist, schrieb ich Euch schon neulich. Das ganze Mädchenwaisenhaus reiste am letzten

---

205 Der „Vice" (d.h. Hauswart) Jacob Meier und seine Ehefrau Goldine geb. Nathan (vgl. Anm. 7) wurden am 15.7.1942 zusammen mit Regina van Son nach Theresienstadt deportiert. Beide überlebten dort nur bis Anfang 1943 (Vgl. Hamburger jüdische Opfer des Nationalsozialismus, wie Anm. 34, S. 280).

206 Zur grauenhaften Wirklichkeit in Theresienstadt siehe die Einführung, S. 94 ff.

207 D.h. der Brief sollte an Reginas Sohn Manfred in London weitergeleitet werden.

Freitag.[208] Rolf soll Onkel Ernst schreiben. Das einzige, was ich bedaure, ist, daß ich von Eurem Neugeborenen, meine geliebte Fränze, nicht gleich hören werde. Aber kommt Zeit, kommt Rat. Der Ewige behüte Euch und mich, er lasse uns sein Antlitz leuchten und begnadige uns. Er wende uns sein Antlitz zu und schenke uns Frieden.[209]

In großer, großer Liebe, mit innigsten Grüßen und Küssen für Euch alle,

Eure Regina

Jedem Einzelnen gelten meine besten Wünsche.
Eben kam noch eine Paketadresse von Kruschs[210], [das ist] doch rührend, nicht wahr?

---

208 Am Sonnabend, dem 11.7.1942, wurden mit dem achten Hamburger Deportationstransport 300 Menschen zur Ermordung nach Auschwitz gebracht, darunter die Bewohner des jüdischen Altenpflegeheims Laufgraben 27. Vgl. Irmgard Stein: Jüdische Baudenkmäler in Hamburg. Hamburg 1984, S. 113 f.

209 Vgl. 4. Buch Mose, 6. Kapitel, Verse 24-26.

210 Vermutlich eine in der Verwandtschaft gebrauchte Kurzbezeichnung für die Familie von Herbert N. Kruskal in Scheveningen, vgl. Anm. 1.

Das Massenquartier „L 212“ in Theresienstadt, in das Regina van Son eingewiesen wurde (Foto von 2000)

23

Absenderin: Regina van Son
Transportnummer 807 – VI/1[211]
L 212 Zimmer 14

Theresienstadt, 29.9.42

Empfänger: Familie Leo Kruskal,
Scheveningen, Holland
Mechelsche Straat 8

Lieber Leo, liebe Edda, lieber Herbert.

Mir geht es hier ganz gut[212], ich habe hier viele Verwandte getroffen. Martha Fröhlich[213], die mir grade gegenüber wohnt, ist ganz reizend zu mir. Ernst Brühl[214] ist auch hier und hat mich schon mehrmals besucht. Jenny Markel[215] ist auch hier. Tina ist in Berlin geblieben und ins Siechenhaus dort gekommen. Nun wollte ich Euch innig bitten, mir ein Liebesgabenpaket zu schicken[216], vor allen anderen Dingen Toilette- und Briefpapier, Füllfedertinte, ein Hemd und ein Nachthemd, ich bin stark abgemagert, mir wird alles passen, auch wenn ihr könnt, etwas zum Essen, wie Marmelade etc. zum Schmieren. Martha Fröhlich hat mir Kamm und Bürste geliehen, denn ich habe meine zwei Koffer nicht bekommen. Sie bringt mir sehr oft Wäsche von sich, wie

Handtücher, Betttuch, Kopfkissenbezug, denn ich habe keine Kriegsseife mehr zum Waschen. Mit gleicher Post bekam ich Deine Karte vom Juli, l.[ieber] Herbert, zugleich mit einem Brief von Tante Cläre, deren Brief vom Juli ich

---

211 Die Transportnummer setzte sich wie folgt zusammen: 807 bezeichnete die Nummer, unter der Regina van Son in der Deportationsliste aufgeführt war, VI stand für Hamburg und 1 für den ersten Transport aus Hamburg.

212 In Theresienstadt bestand eine doppelte Postzensur. Alle Postkarten und Briefe durchliefen eine Kontrolle in der sog. jüdischen Selbstverwaltung und wurden außerdem von den Zensoren der deutschen Kommandantur geprüft. Klagen über die Verhältnisse im KZ waren strikt verboten; Verstöße wurden schwer bestraft. Die Strafen trafen die Verfasser der Schreiben und die jüdischen Prüfer, denen inkriminierte Textstellen entgangen waren. Aufgrund der Zensur ist in den erhaltenen Postkarten und Briefen aus Theresienstadt regelmäßig zu lesen, dass es den Absendern gut gehe. Regina van Sons Bemerkung, dass es ihr nur „ziemlich gut" gehe, bedeutete schon eine vielsagende Einschränkung und kann als Hilfeschrei gedeutet werden. Vgl. Frantisek Benes, Patricia Tosnerova: Die Post im Ghetto Theresienstadt 1941-1945. Prag 1996, S. 84 ff.

213 Nicht identifiziert.

214 Ernst Brühl, geb. 13.7.1867, der Sohn einer Schwägerin von Regina van Sons Vater, wurde am 18.8.1942 aus Berlin nach Theresienstadt deportiert und starb dort 7.11.1942. Institut Theresienstädter Initiative (Hg.): Theresienstädter Gedenkbuch. Prag 2000, S. 28.

215 Jenny Markel geb. Goldschmidt (geb. 14.11.1872 in Kosten) war 1938 aus Hamburg nach Berlin verzogen. Von dort wurde sie am 18.8.1942 nach Theresienstadt deportiert. Regina van Son wusste nicht, dass Jenny Markel schon seit acht Tagen nicht mehr in Theresienstadt lebte, sondern am 21.9.1942 mit einem Transport aus Theresienstadt zur Ermordung nach Treblinka gebracht worden war. Institut Theresienstädter Initiative (Hg.), wie Anm. 214, S. 144.

216 Mit einem Tagesbefehl vom 24.9.1942 hatte die deutsche Kommandantur die Beschränkungen im Postverkehr gelockert; künftig konnten außer Postkarten auch Briefe in unbeschränkter Wortzahl geschrieben werden. Sie durften die Bitte enthalten, sog. Liebesgabenpakete im Höchstgewicht von 2 Kilogramm zu schicken. Vgl. Frantisek Benes, wie Anm. 212, S. 98 und 194.

auch bekam. Ihre Freundin Malchen habe ich schon zwei- bis dreimal besucht.[217] Sie wohnt L 425, ich habe ihr Cläres Brief als Toilettepapier dagelassen. Sie besuchte mich einmal hier und ich konnte ihr verschiedenes Stopfmaterial von mir geben. Zum Glück habe ich meinen Nähbeutel hier. Auch Sachen zum Blumenmachen habe ich hier und schon viel Freude damit gemacht. Bitte gebt den anderen meine Grüße und Wünsche weiter. Mit den inniglichen Grüßen für Euch alle bin ich in großer Liebe Eure Euch und die geliebten Kinder umarmende Regina. Schreibt bitte ausführlich über alles, ist Walter noch in A[mster]dam? Gestern hatte ich Jahrzeit von Hugo. Rauschhaschana war ich grade krank, ich lag 8 Tage mit Durchfall. Männe Norden kam auf meine Bitte zum Schofar-Blasen zu mir.[218] Nochmals alles, alles Gute; in großer Liebe und Sehnsucht

Eure

Regina

---

217 Vermutlich Amalie Clara Michaelsen geb. Nussbaum (geb. 6.3.1875 in Köln). Sie wurde am 15.7.1942 aus Hamburg nach Theresienstadt und am 21.9.1942 von dort zur Ermordung nach Treblinka deportiert. Vgl. Institut Theresienstädter Initiative (Hg.), wie Anm. 214, S. 405.

218 Zu Rosch ha-Schana, dem jüdischen Neujahrsfest, ertönt traditionell das Schofar, ein aus einem Widderhorn hergestelltes Blasinstrument. Manfred („Männe") Norden, geb. 23.11.1907 in Hamburg, wurde am 19.7.1942 aus Hamburg nach Theresienstadt und von dort am 28.9.1944 nach Auschwitz deportiert. Am 30.12.1944 endete sein Leidensweg mit dem Tod im KZ Dachau. (Vgl. Hamburger jüdische Opfer des Nationalsozialismus, wie Anm. 34, S. 312).

24

Absenderin: Regina van Son, Theresienstadt
Empfängerin: Frau Recha Oettinger, Amsterdam, Z. Holland, 45 Oranje Nassau Laan

20.10.42

Liebe Recha, liebe Cläre.

Zuerst bestätige ich herzlich dankend Euer letztes Päckchen, besonders danke ich für die Marmelade, an der ich mich richtig delektiert habe, und [für] die beiden weißen Stirnnetze, liebe Cläre. Meine waren schon ganz zerrissen. Es war gut, daß Euer Liebesgabenpaket nur vier Pfund wog, denn mehr ist glaube ich nicht zulässig. Sagt das auch bitte Herbert K.[ruskal]. Auch für Toilette- und Schreibpapier innigen Dank. Deine Freundin Malchen[219], liebe Cläre, wollte ich Mitte voriger Woche wieder besuchen, aber in ihrem Zimmer wohnten ganz andere Leute, die sie nicht kannten. Sonnabend erkundigte ich mich beim dortigen Ältesten und erfuhr, daß

219 Vermutlich Amalie Clara Michaelsen geb. Nussbaum, vgl. Anm. 217.

sie in die Heimat von Krapulinski und Waschlapski gefahren ist.[220] Jenny Markel[221] auch. Mein Schwager D.[222] liegt mit Fieber. Ich will nachher zu ihm, lasse auch noch Platz für ihn zum Anschreiben[223].

Mit bestem Gruß für Euch alle, groß und klein.

Eure sich sehr nach Euch sehnende Regina.

Was schreiben Ruth und Gretel? Ob Fränze und Manfred schon ihr Baby haben?

---

220 Ein Hinweis auf „den Osten", d.h. auf die Todeslager, in denen über 80 000 jüdische Deportierte aus Theresienstadt ermordet wurden.

221 Siehe Anm. 215.

222 David van Son, vgl. Anm. 68.

223 D.h. Platz zum Schreiben einiger Zeilen in diesem Brief. Er enthält jedoch keine Zeile von David van Son.

25

Absenderin: Regina Sara[224] van Son, Theresienstadt
Empfängerin: Frau Käthe Vaucher Wulff, Basel, Schweiz, Rheinschanze 3

Theresienstadt, 8.11.42

Liebe Frau Käthe, liebe Fränze, lieber Manfred.

Ich möchte Euch bitten, diesen Brief Tante Selma[225] zu zeigen und ihr schonend mitzuteilen, daß Ernst[226], ihr Bruder, am 5.11. morgens um 1/2 7 [Uhr] eingeschlafen ist. Ein Herzschlag hat seinem Leben ein Ende gemacht. Am 4. war ich noch mit seiner Cousine Frau Ruppin[227] - ich glaube, sie ist eine geborene Brühl - bei ihm in dem Krankenzimmer der Hannover-Kaserne. Er hatte Durchfall, und Frau Ruppin konnte nicht genug rühmen und erzählen, wie Ernst immer ihr gegenüber lieb und gefällig war. Er wäre immer aufgesprungen, wenn sie nur den kleinsten Wunsch geäußert

---

224 Aufgrund einer Verordnung vom 17.8.1938 mussten jüdische Frauen mit nichtjüdischen Vornamen ab 1.1.1939 zusätzlich den Zwangsnamen Sara tragen.
225 Eine Tochter von Fanny Brühl, Schwägerin von Regina van Sons Vater.
226 Ernst Brühl, vgl. Anm. 214.
227 Gertrud Ruppin geb. Brühl, geb. 22.5.1867, Tod in Theresienstadt im August 1944. Vgl. Institut Theresienstädter Initiative (Hg.), wie Anm. 214, S. 183.

hätte etc. etc. Nun möchte ich zu gern wissen, wie es Euch und allen anderen geht, und wie Fränze sich fühlt. Ob es ein Junge oder ein Mädel geworden.[228] War es eine schwere Entbindung? Wann werde ich wohl Näheres erfahren? Ich grüße Euch alle, alle herzlich, besonders Euch drei, Clara und Bertie, Leo und Minnie, Joseph und seine Frau und Claras Ältesten mit Beatrice und Elisabet. Nehmt alle innige Grüße und Küsse von Eurer Euch zärtlich liebenden

Regina

Ich bin wohl und munter, nur mit den Augen in Behandlung. Ich hatte einen Bindehautkatarrh, der aber schon wieder gut ist.

Liebe Kinder. 9.11.42

Wenn Ihr schickt, schickt bitte den Brief an mich eingeschrieben, das ist besser so. Schickt bald etwas für mich. Der Purim ist bis vier Pfund schwer.[229]

---

228 Am 3.10.1942 wurde in London Regina van Sons Enkelin Dorothea Shulamit geboren. Salomon van Son, wie Anm. 2, S. 107.

229 Wie Regina van Son am 20.10.1942 schrieb, betrug die Höchstgrenze für ein Liebesgabenpaket vier Pfund. Zu „Purim", dem Fest zur Erinnerung an die Rettung der persischen Juden vor der Verfolgung Hamans, werden Bedürftige mit Geschenken bedacht. Offensichtlich bezeichnete Regina van Son das Liebesgabenpaket als „Purim", um damit ihre verzweifelte Lage zu verdeutlichen.

Regina van Sons Sohn Manfred (Foto von 2000)

Manfred Vanson s.A.

Ein Sohn schreibt über seine Mutter

Wohl ein jeder, der über seine Mutter schreiben möchte, wird so manches Mal in superlative Töne verfallen. Möge das auch zu meiner Entschuldigung dienen.

Meine Mutter Regina van Son geb. Oettinger war die Tochter von Chaim Noach Oettinger und dessen zweiter Frau Emma Jaffé. Regina wurde als jüngstes Kind am 14. Juni 1880 in Hamburg geboren. Julie, die älteste Tochter, heiratete wenige Wochen vor Reginas Geburt und zog nach London. Regina wurde als sehr junges Mädchen bei dem jungen Paar eingeladen und genoss den dortigen Aufenthalt etwa zwei Jahre. So wurde Englisch ihre zweite Sprache und sie las viel englische Literatur.

Im Jahre 1906 heiratete Regina Hugo van Son. Ihr Mann war ein großer Musikliebhaber und auch selbst Klavierspieler. Seine liebste Oper war die Wagnersche „Tristan und Isolde“ mit dem Lied:

„Frisch weht der Wind der Heimat zu,
Mein irisch' Kind, wo weilest Du."

Dieses Lied wurde sogar unser „Van-Son-Pfiff" und blieb es bis heute.

Auch nach der Hochzeit veranstaltete mein Vater öfters musikalische Abende zu Hause. Ein oder zweimal die Woche spielte er mit einem Partner vierhändig, schöne klassische und romantische Musik. Er ging auch jedes Jahr in eine der großen Kirchen Hamburgs, um Brahms' „Ein deutsches Requiem" zu hören. Meine Mutter wurde ihm auch darin eine gute folgsame Ehefrau.

Ich hatte den Eindruck, dass mein Vater verhältnismäßig gut verdiente, so dass wir einen schönen Haushalt hatten. Bevor ich geboren wurde, hatten meine Eltern bereits zwei ältere Kinder: Ilse, die Älteste, und Herbert, der Mittlere. Während des Ersten Weltkriegs diente mein Vater in der Armee als Übersetzer. In dieser Zeit nahm unser normales Leben ein Ende. Ilse erlernte die Mensedieck-Hagemann Gymnastik, ein etwas unsicherer Beruf. Aber Mutter mit ihrer salomonisch ausgleichenden Gabe verstand es alle Gemüter zu beruhigen.

Mein Vater handelte hauptsächlich mit dem Import von Tabak, und so arrangierte er für meinen Bruder Herbert eine Reise in die USA, um den Tabakhandel zu erlernen. Schon nach einem knappen Jahr bot man Herbert einen Direktorenposten in Schanghai an, obwohl er erst 21 Jahre alt war. Meine Schwester war bereits in Holland, so blieb ich zu Hause und wurde als einziges Kind sehr verwöhnt.

Eigentlich lernte ich meine Mutter so richtig erst in den letzten zehn Jahren kennen. Zurückblickend war sie mir eine ideale Mutter, liebevoll, verzeihend und umsorgend. Sie war immer bescheiden angezogen und trug nur selten Schmuck. Aber am Schabbat schien sie mir eine Prinzessin zu sein, und wir gingen auch immer zusammen in die Synagoge. Wir waren stolz auf ‚unsere' Familie, auf die drei von uns: Vater, Mutter und ich. Zuhause sangen wir Schabbat-Gesänge. Beide Eltern waren musikalisch und hatten schöne Stimmen. Das ist eine herrliche Erinnerung.

Im März war meine Bar-Mizwa, doch mein Bruder Herbert kam erst eine Woche danach, der großen Entfernung wegen (mit der Trans-Sibirien-Eisenbahn durch ganz Polen, Russland und die Mandschurei bis nach China). Meine arme Mutter konnte sich nicht mit dieser großen Entfernung abfinden, sie war außer sich und es dauerte sehr lange, bis sie sich beruhigen konnte.

In dieser ohnehin schweren Woche trafen sie zwei weitere Schicksalsschläge: Ihr älterer Bruder starb in Hamburg und dann, noch in der Trauerwoche, kam ein Telegramm des deutschen Konsulats in Schanghai, dass mein Bruder tot aufgefunden wurde, nur wenige Tage nach seiner dortigen Ankunft. Die Tage danach waren entsetzlich schwer, einfach unbeschreibbar.

Trotz ihres großen Schmerzes hielt sich meine Mutter wie eine Heldin. Liebe, Aufrichtigkeit und Gottvertrauen leuchteten aus ihr und sie war mir weiter eine wunderbare Mutter. Sie, wie auch mein Vater, waren schon viele Jahre aktive Mitglieder der Chewra Kadischa, (der geheiligten Brüder- und Schwesternschaft für jüdisches Begräbniswesen). Aber jetzt widmeten sie sich dieser Aufgabe noch viel intensiver und taten viel Gutes. Sie waren für uns alle immer ein Beispiel.

Ich erinnere eine ganz besondere Szene: Vater saß am Klavier und sang, während Mutter mit einer Stickerei eines Vorhangs für den Vorsitzenden der Chewra Kadischa in Schanghai beschäftigt war – aus Dankbarkeit für die letzten religiösen Riten, die er anlässlich des Todes von Herbert ausgeübt hatte. Dabei weinte sie lautlos. Als ich sie trösten wollte, gab sie mir ein Zeichen, keinen Laut von mir zu geben, um Vater nicht bei seinem Vergnügen zu stören.

Mein Vater starb im Jahre 1936 und es begann eine schwierige Zeit für uns, doch Mutter beklagte sich nie.

Während der Jahre und im Laufe der Nazi-Katastrophe wuchs sie über sich selbst hinaus, sie fürchtete sich vor nichts mehr. Am Tage der Kristallnacht schickte sie ein Telegramm nach England, „Save my son“, und bat den Postbeamten in der Schlüterstraße, es möglichst schnell abzusenden...

Ich bin stolz auf meine Mutter, und im Geiste sehe ich sie immer vor mir: so liebend und so stark zugleich.

Diese Stärke leuchtet auch aus ihren Briefen. Ich hoffe, dass sie irgendwie weiß, dass gerade ihr Vorbild mein ganzes Leben gerettet hat. Denn zwei Tage nach meiner Ankunft in England konnte ich einen kleinen Posten übernehmen, der sich im Laufe der Jahre zu einer großen helfenden Organisation entwickelte. So führte sie mich, wie ein unsichtbarer Engel, auf dem Weg meiner Familie.

Wir sind dankbar, dass meine Mutter wie auch die Eltern meiner Frau noch die Nachricht von der Geburt unserer Tochter erhielten – aber meine Kinder haben ihre Großeltern niemals gekannt.

Jerusalem, September 2000

Manfred Vanson

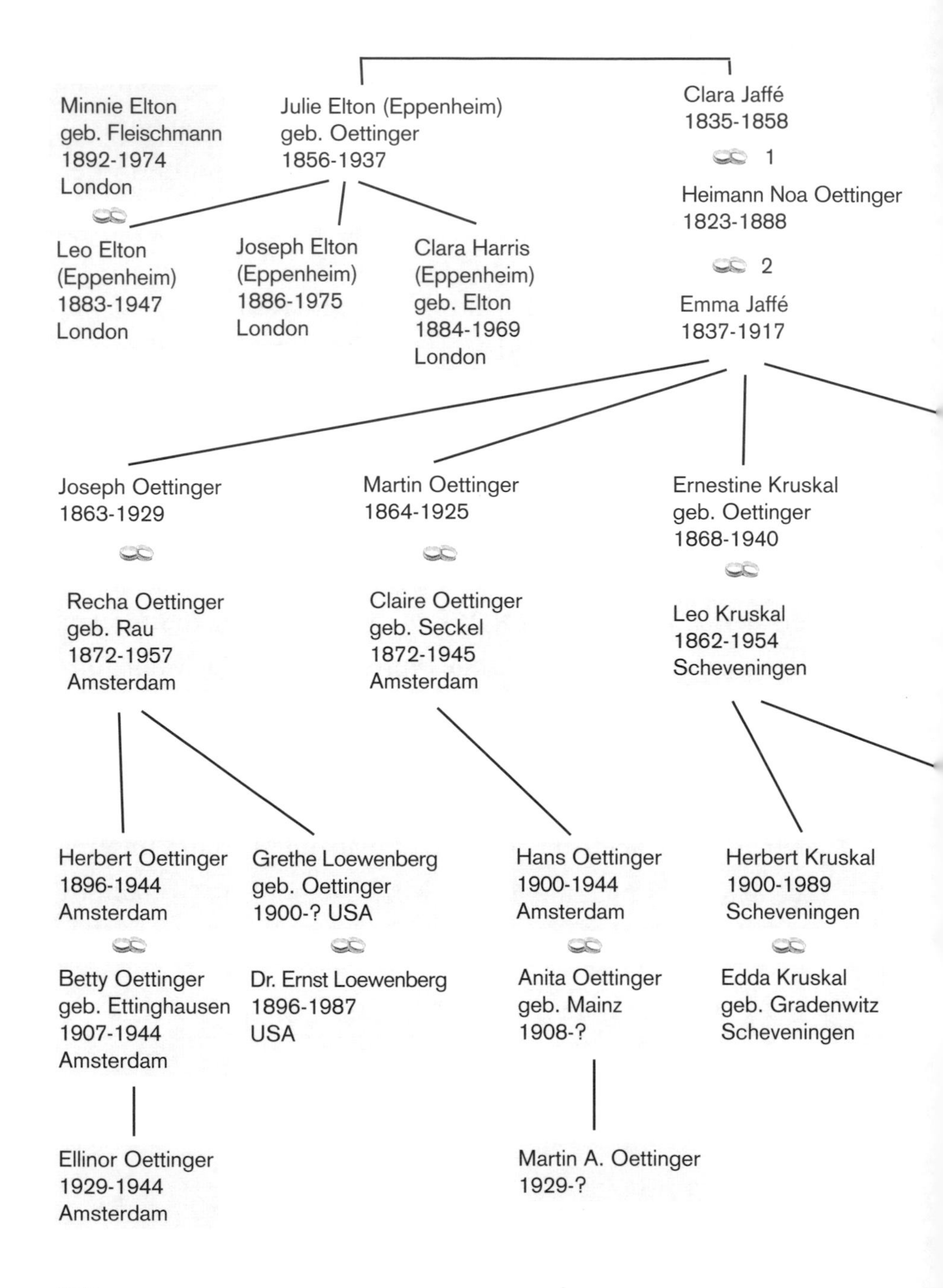
Minnie Elton
geb. Fleischmann
1892-1974
London
Julie Elton (Eppenheim)
geb. Oettinger
1856-1937
Clara Jaffé
1835-1858
1
Heimann Noa Oettinger
1823-1888
2
Emma Jaffé
1837-1917
Leo Elton
(Eppenheim)
1883-1947
London
Joseph Elton
(Eppenheim)
1886-1975
London
Clara Harris
(Eppenheim)
geb. Elton
1884-1969
London
Joseph Oettinger
1863-1929
Recha Oettinger
geb. Rau
1872-1957
Amsterdam
Martin Oettinger
1864-1925
Claire Oettinger
geb. Seckel
1872-1945
Amsterdam
Ernestine Kruskal
geb. Oettinger
1868-1940
Leo Kruskal
1862-1954
Scheveningen
Herbert Oettinger
1896-1944
Amsterdam
Betty Oettinger
geb. Ettinghausen
1907-1944
Amsterdam
Grethe Loewenberg
geb. Oettinger
1900-? USA
Dr. Ernst Loewenberg
1896-1987
USA
Hans Oettinger
1900-1944
Amsterdam
Anita Oettinger
geb. Mainz
1908-?
Herbert Kruskal
1900-1989
Scheveningen
Edda Kruskal
geb. Gradenwitz
Scheveningen
Ellinor Oettinger
1929-1944
Amsterdam
Martin A. Oettinger
1929-?

Regina van Sons Familie

Die Übersicht zeigt nur die in den Briefen genannten Verwandten von Regina van Son. Die zur Zeit der Korrespondenz lebenden Verwandten und ihre damaligen Aufenthaltsorte sind hervorgehoben.

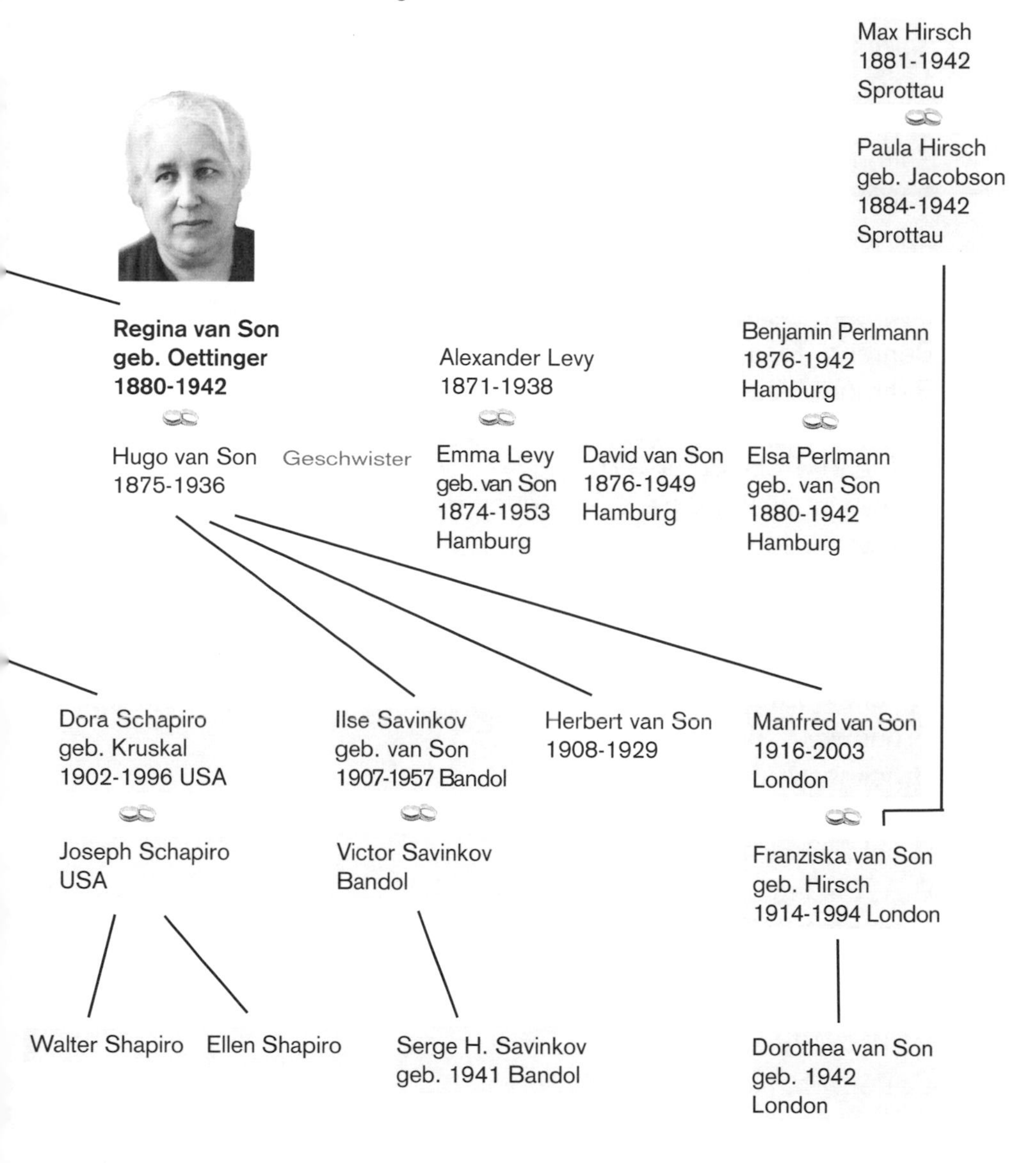

Personenregister

Bildnachweis

S. 10, S. 41-44, S. 100, S. 102, S. 200
Dorothea Shefer, Mevasseret Zion, Israel

S. 70
Chantal Auerbach, Edgware, England

S. 85
Staatsarchiv Hamburg

S.129, S.130
Rita Bake, Hamburg

S.131, S. 191
Jürgen Sielemann, Hamburg